ちくま新書

大阪・関西万博「
」

松本 創 編著
Matsumoto Hajimu

1808

大阪・関西万博「失敗」の本質【目次】

はじめに　009

第1章　維新「政官一体」体制が覆い隠すリスク――万博と政治　木下功　017

「歓喜の夜」から一転、次々と噴き出す課題／夢洲は本当に「負の遺産」なのか／橋下知事の「ベイエリア・カジノ構想」から始まった／「松井試案」を後押しするベンチャー経営者／支え合う維新と安倍政権、絡み合うＩＲと万博／万博は「府市一体の成果」とアピールする維新／予算増を予測できぬ協会、容認する維新首長／15万人が避難？　現実味を欠く防災対策／橋とトンネルは避難路に使えるか／「夢洲は液状化しない」想定の誤り／爆発事故で問われた万博協会の説明不足／巨大事業を検証する仕組みがない／大阪府ＨＰから消えた万博議事録

第2章　都市の孤島「夢洲」という悪夢の選択――万博と建築　森山高至　063

日本の万博出展史に見る海外パビリオンの重要性／建設遅れは参加国ではなく開催国の責任

／「夢洲」という悪条件――埋め立て安定せず、地盤沈下続く／地盤対策上の制約その1――長すぎる杭と撤去の問題／地盤対策上の制約その2――掘削制限で地下室が作れず／浚渫土からもメタンガス。爆発の危険は今後も／アクセス悪く電源もなし、「都市の孤島」の難工事／厳しい残業規制が工事進捗の足かせに／参加国をフォローせず、タイプXを勧めた万博協会／参加国の焦り――設計者や工事業者見つからず／電通の不在とゼネコンの「逃げ腰」／木造リングが覆い隠す深刻すぎる工事遅れ／本質見ず、議論もなし。暴走する「机上の空論」

第3章　「電通・吉本」依存が招いた混乱と迷走――万博とメディア　西岡研介　105

東京五輪談合事件の衝撃と余波／電通が牽引した戦後の博覧会60年史／大阪府・市と政府、維新と自民の不協和音／電通が万博に消極的になった理由／吉本興業の「地方創生」ビジネス、大阪府・市との蜜月／読売グループがカジノを批判する理由／IRにらみで万博を盛り上げる吉本の思惑／「大﨑体制見直し」と「松本スキャンダル」／吉本も万博から「完全撤退」／万博協会の失敗は「人事」と「財務」／「哲学」のない万博に成功はあるか

第4章　検証「経済効果3兆円」の実態と問題点——万博と経済　吉弘憲介　159

万博コスト増への反論で持ち出される「経済効果」／そもそも経済波及効果とは何か——短期と中長期の二面から／短期効果と中長期効果、それぞれの問題点／経済波及効果を計算する三つのステップ／経済波及効果と事業の「正当性」は関係ない／万博の短期経済効果はどのように変化してきたか／消費動向、2024年問題……実態と乖離した3兆円試算／「来場者2820万人」の高すぎるハードル／レガシー効果は「公益性」の有無で決まる／公共事業を長期的視点で評価するために／独自調査で判明「大阪でも低い万博評価」／万博の公益性と相容れない維新の「個人の利益追求」志向

第5章　大阪の「成功体験」と「失敗の記憶」——万博と都市　松本創　197

博覧会の成功、湾岸開発の失敗、カジノの未来／博覧会都市の始まり「第五回内国勧業博覧会」／都市を広げ、人・物の流れ変えた70年万博／維新ブレーン・堺屋太一の提案から始まった／「万博に取りつかれた男」との空疎な質疑／排除と差別、博覧会の「負の歴史」／テクノポート計画の挫折、大阪五輪の惨敗／維新の原点「府庁移転」と「湾岸開発」構想／夢洲開催案は本当に検証されたのか／大阪ＩＲ――少数の推進派と大多数の無関心／万博を狂わせたＩＲの誤算――橋爪教授の見解／「過去の成功体験」が「同じ失敗」を呼ぶ懸念

参考文献　244

関連年表　250

執筆者一覧　254

はじめに

大阪・関西万博が迷走している。

会場建設費は当初の2倍に膨れ上がり、海外パビリオンの建設は遅れに遅れ、計画縮小ばかりか、撤退する国も出てきた。それでも懸命に工事が行われる中、ある工区ではガス爆発事故が発生した。廃棄物の埋め立て地という会場の土壌が原因だという。地震をはじめ災害のリスクも指摘されるが、防災計画は不十分なままだ。

何よりも――国民の関心が一向に高まらない。

開幕まで1年となった2024年4月、NHKの世論調査によれば、万博に「関心がある」と答えた人は「とても」と「ある程度」を合わせて31%だったのに対し、「関心がない」と答えた人は「あまり」と「まったく」を合わせて62%と2倍に上った。読売新聞の調査ではさらに差が開き、関心がある人は「大いに」と「多少は」を合わせて31%のところ、関心が「ない」人は69%に達した。

いったい誰のため、何のための国家事業だろうか。根本的な疑問がぬぐえない。

開催概要を公式サイトで確認しておこう。

会期は、2025年4月13日から10月13日の184日間。会場は、大阪湾の人工島「夢洲《ゆめしま》」(大阪市此花区《このはなく》)。テーマは「いのち輝く未来社会のデザイン」。その下に「いのち」をめぐる3つのサブテーマがあり、「未来社会の実験場」とコンセプトを掲げる。161の国・地域と9つの国際機関(24年3月現在)をはじめ、企業やNGO/NPO、市民団体等が世界中から集まり、SDGsの達成と、その先の未来を描き出す。具体的取り組みとしては日本の各界のトップランナー8人が「いのち」をテーマにパビリオンをプロデュースする。想定来場者数は2820万人――。

と、こうしたキャッチフレーズやイメージ図をいくら眺めていても、何が出展され体験できるのか、ほとんど想像できない。PRに孤軍奮闘するミャクミャクという公式キャラクターは「ふしぎな生き物。その正体は不明」らしいのだが、それが象徴するように、イベント自体につかみどころがない。関心の低さの一因はそこにあるのだろう。それに加えて、冒頭に記したような迷走ぶり……。

なぜ、万博準備はこれほど迷走するのか。理由はさまざまに語られてきた。20年に開催予定だった前回のドバイ万博がコロナ禍で1年遅れたこと。ウクライナ戦争による世界的な原油や資材の高騰。国内建設業界の人手不足。これら外的要因に加え、大阪・関西万博の計画や体制自体が数多くの問題をはらんでいる。それを開幕前に、多角的な視点から検証・指摘しておくのが本書の目的である。

開幕前からあえて「失敗」と断じることには反発も当然あるだろう。だが、こうしたメガイベントというのは、五輪もそうだが、事前に批判すれば「楽しみにしてる人もいるのに水を差すのか」「成功へ努力する関係者の足を引っ張るのか」と言われ、事後に検証すれば「終わったことをいつまでも」「今さら言っても遅い。なぜ事前に言わないのか」と批判されるのである。どんな形であれ、終わってしまえば、なんとなく「やってよかった」という空気ができ、それに乗じて関係者は「大成功だった（私の手柄だ）」と言い募る。「成功」の基準がないから、いくらでも恣意的に語られてしまう。そうなる前に、「失敗」と見る批判的立場から問題を整理し、指摘しておくべきだと考えたのである。

検証テーマには、「万博と政治」「万博と建築」「万博とメディア」「万博と経済」「万博と都市」の5つを設定。編著者である私が「このテーマはぜひ、この人に書いてほしい」と信頼できる書き手に依頼し、幸い全員から快諾を得た。私を含む3人は記者で、2人は研究者・専門家だ。一堂に会して話し合ったことはないが、本書を読み通せば、共通する「失敗」の本質が見えてくるはずだ。


最後に、まったく個人的な事情を記しておきたい。

私は1970年大阪万博開幕の2ヵ月前、会場のある大阪府吹田市で生まれた。もちろん会期中に行くことはなかったが、跡地の万博記念公園の風景——幼少時は遊園地のエキスポランド（2009年閉園）、大人になってからは民博（国立民族学博物館）、そして、いつ行ってもそこにそびえる太陽の塔——は記憶に刻まれている。万博当時に整備された千里周辺の街並みは自分自身を形成した原点の地と言える。

自分の生まれた時代と場所がどのようなものであったかを知るために、今から15年ほど前——万博40周年の前後——に、当時の関係者を訪ね歩いていたことがある。だが、私自身の力不足もあり、取材成果をまとまった形で活かすことはできなかった。

その時とは少し違った形ではあるが、筑摩書房の橋本陽介さんから、あらためて「万博」について考える機会をいただき、心強い執筆陣とともに、このような形で世に問うことができるのは、とてもありがたいことだと思っている。

2024年6月17日　大阪・関西万博の開幕まで300日の日に

松本創

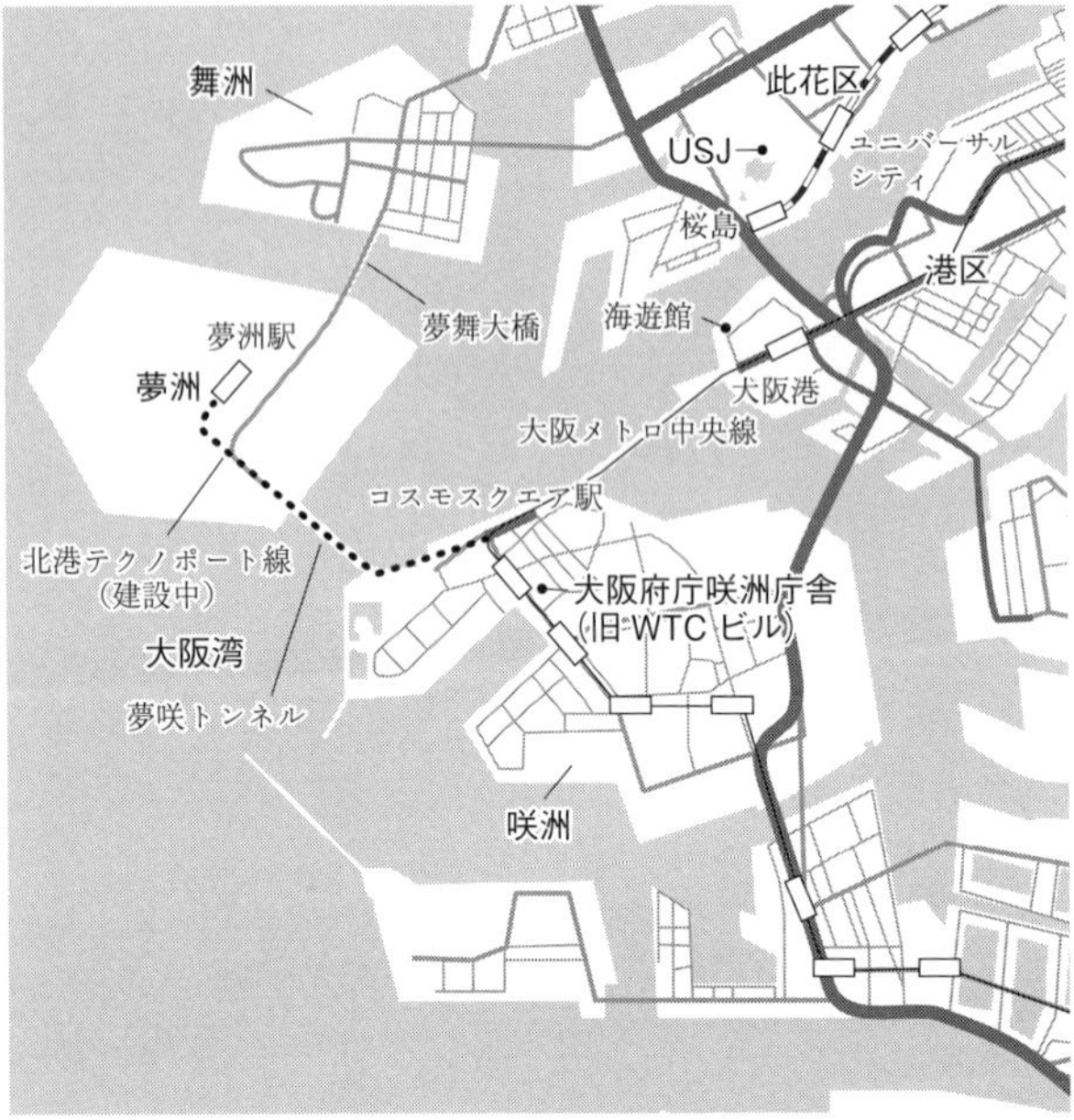
舞洲
此花区
USJ
ユニバーサルシティ
桜島
港区
夢洲駅
夢舞大橋
海遊館
夢洲
大阪港
大阪メトロ中央線
コスモスクエア駅
北港テクノポート線
（建設中）
大阪府庁咲洲庁舎
（旧 WTC ビル）
大阪湾
夢咲トンネル
咲洲

大阪市臨海部概略図

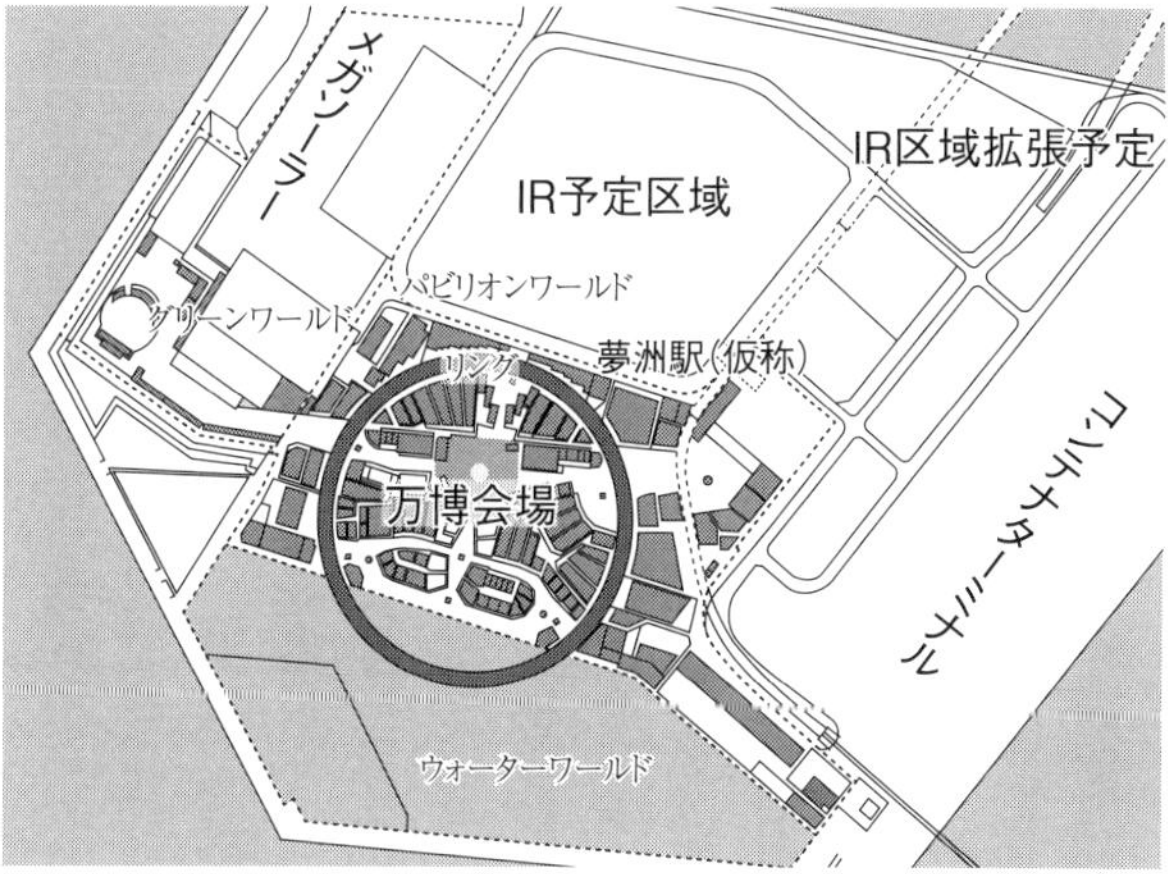

夢洲と万博会場イメージ図
朝日メディアインターナショナル作成

第1章

維新「政官一体」体制が覆い隠すリスク——万博と政治

木下 功

†「歓喜の夜」から一転、次々と噴き出す課題

2018年11月24日未明、大阪市北区中之島のホテルNCBに設けられたスクリーンには、喜びのあまり席から立ちあがる人びとの様子が映し出された。

関西経済連合会の松本正義会長、松井一郎・大阪府知事（当時）、吉村洋文・大阪市長（同）、日本経済団体連合会の榊原定征・前会長（同）、世耕弘成経済産業相（同）らだ。フランス・パリで開催された2025年国際博覧会（万博）の開催国を決める博覧会国際事務局（BIE）総会で、日本開催が決まった瞬間である。

開催地に名乗りを上げていた大阪に、政府、経済界、大阪府・市の誘致関係者ら約30

会見中の松井氏（右）、吉村氏
筆者撮影

0人が集まり、パリでの歓喜が伝わると同時に拍手と万歳で喜びを分かち合った。筆者も地元紙の大阪日日新聞（23年7月末休刊）の記者として同じ空間の片隅で、「よかった、本当によかった」と喜ぶ関係者の話を聞いていた。多くの関係者が高揚感に包まれており、この時は政府も経済界も大阪府・市も一枚岩に見えた。

しかし、万博開催が近づくにつれ、深刻な課題が明らかになっていく。

歓喜の日から4年半余りが経った23年6月22日、工期遅れの問題が表面化。日本建設業連合会の宮本洋一会長（清水建設会長）が記者会見で、発注前の海外パビリオンでは設計の段階にも進めていないとし、「本当に間に合うのか」と懸念を表明する。次に万博の運営主体である2025年日本国際博覧会協会（万博協会）が同年10月20日、会場建設費が500億円膨らみ、最大2350億円となる二度目の大幅増額の見通しを公表した。

さらに24年3月28日には、万博会場の工事現場でメタンガスへの引火による爆発事故が発生し、安全の問題がクローズアップされた。現在、万博協会が注力しているのは災害に備える「防災実施計画」の策定で、今夏にとりまとめる方針だが、地震の際の避難計画に懸念が残る。来場者の輸送計画も同様で、平常時でも混雑・渋滞は避けられそうもなく、事故や災害など有事の対応は可能なのか。

工期、コスト、安全、防災、輸送。いずれの課題も、万博会場が大阪湾に位置する人工島の夢洲《ゆめしま》であることが大きな要因だ。軟弱地盤とアクセスルート不足という、致命的ともいえる土地条件の場所が万博の開催地に選ばれたのはなぜか。

本章では「万博と政治」の観点から会場選定の経緯、同じ夢洲で進むカジノを中心とする統合型リゾート施設（ＩＲ）の誘致計画との関わりを検証するとともに、筆者が今後の最大の課題だと考える防災対策の現状をみる。さらには大阪府と大阪市、政治と行政が一体化した維新一強体制と万博協会という組織によって、巨額の税金をつぎ込む事業が検証されないまま進んでいく危うさを指摘する。

†夢洲は本当に「負の遺産」なのか

なぜ夢洲だったのか——。

夢洲は大阪湾を埋め立てて造成された人工島である。軟弱地盤とアクセスルート不足はその成り立ちからいって当然であり、観光地や商業地としては想定されていなかった。それを、ともに大阪府知事と大阪市長を務め、日本維新の会、大阪維新の会を率いた橋下徹氏と松井一郎氏が繰り返し「負の遺産」と揶揄し、これを有効利用することをIR・カジノ誘致の理由の一つとしてきた。だが、本当にそうか。

まず、土地の状況を見ておこう。

夢洲は、約390ヘクタールの面積を持つ広大な埋め立て地だ。建設残土や浚渫《しゅんせつ》土砂（港湾や河川の底から取り除かれた土砂や汚泥）、事業所や家庭の廃棄物の処分場として、1977年から整備されてきた。

東側はコンテナ物流拠点である夢洲コンテナターミナル。西側は廃棄物埋め立て処分場で、一部に大規模太陽光発電（メガソーラー）が設置されている。

現状でも物流拠点として機能しているとともに、大阪市独自の廃棄物埋め立て処分場として大きな役割を果たしている。都市計画に失敗してきたのは事実だが、「『負の遺産』とレッテルを貼られるような土地ではない」（元大阪市港湾局職員）と憤る大阪市の関係者は少なくない。

万博会場は中央部南側。隣接する中央部北側は大阪府・市が誘致を進めるＩＲの予定地だ。万博閉幕から5年後の２０３０年秋頃の開業を目指している。

一方で、夢洲はイベント会場や商業地としては深刻な課題を抱えている。アクセスルートは、隣の人工島・舞洲《まいしま》との間に架かる「夢舞《ゆめまい》大橋」と、やはり人工島の咲洲《さきしま》からつながる「夢咲《ゆめさき》トンネル」の二つ。もともと物流拠点としてトラックなどの交通量が非常に多い場所であり、大規模イベントを開催すれば渋滞を引き起こす可能性が高い。災害時はさらに問題で、アクセスの悪さはそのまま避難の困難さに直結する。アクセスルートを増やそうとすれば、莫大な費用がかかる。

実際に20年1月23日、万博協会の石毛博行事務総長がピーク時の輸送力不足に対応するために「新たな架橋が必要」とし、万博協会から大阪市に要望した経緯がある。しかし同年4月1日、松井市長は、新たな橋は建設せずに夢洲のコンテナターミナルの一部移設で交通量を減らすなどの代替案を示し、石毛事務総長も「渋滞緩和につながる」として受け入れた。橋の建設には１００億円前後の費用がかかるとされたことがネックとなった。

夢洲の軟弱地盤は建設工事の難易度を上げ、通常の土地に建物を造るよりコストが増す。地震時には液状化のリスクが伴い、橋とトンネルが無事だったとしても、車両が使用できない可能性も視野に入れなければならない。

これほどのリスクを抱える夢洲がなぜ万博の舞台に選ばれたのか。先行していたＩＲとの関係はどのようなものだったのか。経緯を振り返る。

†橋下知事の「ベイエリア・カジノ構想」から始まった

大阪府知事だった橋下徹氏が公の場でカジノ構想をぶち上げたのは２００９年９月15日。大阪府、大阪市、関西経済３団体でつくる「夢洲・咲洲地区まちづくり推進協議会」の初会合でのことだ。もともとは大阪市の第３セクターである「大阪ワールドトレードセンタービルディング（ＷＴＣ）」への府庁舎移転を実現させるための集まりだった。

ＷＴＣは地上55階建てのオフィスビルとして１９９５年に完成したが03年に破綻し、09年には会社更生法の適用を申請して二次破綻している。同年３月、知事として橋下氏が提案した府庁舎移転条例案が府議会で否決。大阪市の「お荷物」だったＷＴＣを引き受けることを府議会が拒否した形であり、翌10年３月までにＷＴＣの更生計画を作らなければならないというタイミングだった。

肩の荷を下ろしたい大阪市の平松邦夫市長（当時）が橋下氏を後押ししようと協議会の

設立を呼びかけ、財界からの投資を引き出すことが狙いだった。

橋下氏はこの場で唐突に「カジノが一つのキーワード」と湾岸部へのカジノ誘致を提案したのだが、平松市長も関経連の下妻博会長（同）も否定的であり、具体的な動きにはつながらなかった。

同年10月27日の府議会で、再提案した移転条例案が否決される一方、移転先であるWTCの購入予算案は可決されるという整合性のとれない結果となった。当時を知る府議は、橋下知事が否決された場合に辞職をちらつかせていたため、票読みをした上で賛否を割り振りして採決した結果だと明かす。

国政でのカジノを巡る動きを確認しておくと、02年に自民党の国会議員有志によるカジノ議員連盟が発足していたが、超党派の国際観光産業振興議員連盟（IR議連）ができるのは、橋下氏がカジノ構想をぶち上げた協議会から半年後の10年4月。ちなみに大阪維新の会が誕生するのも同じく10年4月である。

13年12月、IR推進法案が国会に上程されたことを受けて、大阪府と市は連携して立地準備に取り組むために大阪府市IR立地準備会を設置。14年4月開催の第2回会議で示された基本コンセプト案に、立地候補地として「夢洲を軸とした大阪市内ベイエリア」という表現で夢洲の名前が登場する。

一方の万博について、松井知事が大阪誘致を表明するのは同年8月。大阪維新の会府議団との意見交換会で「東京五輪の後にやりたい」との思いを語り、翌9月の府議会本会議で「日本、大阪の成長の起爆剤になる」と正式に表明している。

開催場所の候補地としては当初、70年万博の跡地である万博記念公園が挙がっていたが、松井知事は府議会で「府全域で可能性のある場所を検討したい」と答弁。検討の結果、候補となったのは万博記念公園（吹田市）と彩都東部（茨木市）▽服部緑地（豊中市）▽鶴見緑地（大阪市、守口市）▽舞洲（大阪市）▽大泉緑地（堺市）▽りんくう公園とりんくうタウン（泉佐野市、泉南市、田尻町）の6カ所だった。府が設置した有識者による誘致構想検討会が15年7月に取りまとめたもので、この時点で夢洲は候補にすら挙がっていない。

経済界も慎重姿勢だった。05年の愛知万博では国と地元自治体、経済界が会場建設費を450億円ずつ負担しており、「奉加帳が回ってきても困る」というのが当時の財界首脳の本音だった。

しかし、15年11月に行われた大阪府知事と大阪市長のダブル選挙をきっかけに、万博を巡る空気が変わる。

ダブル選の半年前の同年5月には、大阪市を廃止し、特別区を設置するいわゆる「大阪都構想」が住民投票で否決され、橋下氏が政界引退を表明。ダブル選の結果を見なければ、橋下氏不在の維新の影響力がどう変化するのか見通せない状況だった。

結果は維新の圧勝。松井氏が2期目の知事となり、当時無名の吉村氏が市長として初当選。同年4月、住民投票の前に実施された統一地方選でも、維新は府議会で過半数、市議会で第一党を維持しており、維新が大阪の政治・行政を取り仕切る構図は変わらなかった。

維新が万博誘致を本格化するのは翌16年1月からだ。松井氏が菅義偉官房長官（当時）を官邸に訪ねて協力を要請。維新府議団は関西経済同友会を皮切りに、関経連、大阪商工会議所という関西の経済3団体と面談。IRと万博をテーマに意見交換を行っている。

同年5月21日、松井知事が再び菅官房長官を訪問。この時、毎日新聞大阪本社版が〈松井一郎知事が、会場候補地として大阪湾の人工島『夢洲』（大阪市此花区）を新たに加えることが分かった。松井知事は21日に菅義偉官房長官と東京都内で会い、意向を伝えたとみられる。府は6月中旬にも経済界を交えた検討会を発足させ、誘致の実現に向けて夢洲を軸に候補地の絞り込みを目指す〉と報じている。

†「松井試案」を後押しするベンチャー経営者

２０１6年6月30日、報道の通りに検討会が動き出す。有識者、大阪府・市、経済界で構成される２０２５年万博基本構想検討会議の第１回全体会議が開かれた。しかし、その前から会場の本命は夢洲という流れが作られていた。

会議には、夢洲を想定した松井知事名の文書「「２０２５日本万国博覧会」〜人類の健康・長寿への挑戦〜基本構想試案」が提出された。しかも毎日新聞によると、府はこの試案を6月16日に発表し、松井知事が同日、林幹雄経済産業相と塩崎恭久厚生労働相（いずれも当時）に説明している。

万博基本構想検討会議は、万博開催地の選定を重要な役割の一つとして立ち上げられたはずだが、筆者には「夢洲誘致のアリバイづくり」に利用されたとしか見えない。

試案の冒頭には〈本資料は、あくまでも現段階における私の試案である。会場候補地についても、必要面積の確保やアクセス条件等を踏まえ、今後、検討・決定していく必要があるが、本資料においては『夢洲地区』と想定して作成した〉と記されている。まだ夢洲に決定したわけではないと、いちおう留保しているわけだ。

だが、その一方で〈夢洲は交通ネットワークが充実した大阪臨海部の中心に位置し、多彩なアプローチが可能。関西3空港からのアクセスが可能。鉄道・道路ネットワークもさらに強化（都心から直通可になる）〉〈今後整備予定のIR、抜群の集客力を誇るユニバーサル・スタジオ・ジャパン（USJ）など、周辺に立地する観光・宿泊施設等との連携により集客アップが期待できる〉と利点を強調し、夢洲開催へと誘導している。

知事が強く打ち出した方針に対し、会議に集められた有識者が異を唱えることができるのか。

具体的に万博会場の候補地を絞り込む作業を行っていたのは、万博基本構想検討会議の下に置かれた整備等部会である。メンバーは大阪府・市などの地方行政、経済界、有識者、経済産業省、厚生労働省で構成。7月22日に行われた第1回会議で夢洲を強く推す有識者が現れた。

大阪大学大学院医学系研究科臨床遺伝子治療学寄附講座教授という肩書で出席していた森下竜一氏だ。後の新型コロナ禍の際、大阪発のワクチン開発を担う企業として吉村知事や松井市長が後押しした「アンジェス」の創業者である。大学発ベンチャー企業の走りとして知られるが、ワクチン開発には結局失敗している。

夢洲を巡って、どのような議論が行われたのか、議事録で確認していこう。

事務局「候補地のうち、府営公園の万博記念公園と服部緑地、大泉緑地の3ヵ所、大阪市営公園でありますす花博記念公園、鶴見緑地につきましては、地元市におきまして、広域避難所に指定されております。そのため、活用にあたりましては、地元市との調整が必要になります。また、夢洲につきましては、現在、まだ埋め立て中の地区があること、それから観客輸送上に欠かせない鉄道インフラが現状はないという課題があるため、現在、大阪府、大阪市におきまして、会場とすることが可能かどうかを検討しているというところでございます」

(中略)

森下氏「前回の全体会議で、夢洲が候補地と出ていたと思うんですけれども。それ以外も含めて検討するという段階にまだあるんですか。状況が理解できないんですけど。話が戻っているように思うんですが」

事務局「説明が不十分で申し訳ございません。夢洲は、要は知事の試案ということで、知事の思いということで、この場所で出来ないかということでお示しをした場所でございます。それ以外の6カ所につきましては、昨年、可能性検討の中で一応100ヘクタール以上の用地が確保できる見込みがあるというところで、ご提示をさせていただいた場所です。そこも含めて現在どういうところが可能なのか、6カ所プラス試案で示している夢洲、7カ所について現況をご説明をし、次回また現場を見ていただいて、大きな視点からいろいろご議論いただいた上で、我々としての適地での最終的に進めたいというふうに考えています」

森下氏「万博記念公園、服部緑地はないと思います。すでにエキスポシティーができて渋滞大変なんで、もうこれ以上やるのは勘弁してほしいというのが皆さんの思いだと思うんですね。彩都も彩都西も私関係してますけども、これアクセスから見てもないだろうなと。そういう意味でいうと、やっぱり舞洲、夢洲、くらいしかないと思うんですね。夢洲とか、非常にある意味グランドデザインが一から描けるという。最初の大阪万博をやった時と同じような状況にあるので、私のイメージとしては、ここに万博をもっていくために、どういうインフラを2025年に関西として要求するのかというのがポイントだと思います。（中略）」

橋爪紳也部会長「跡地利用計画とインフラ等との関係性というものは必ず精査されます

ので、そのあたり、考える必要がある。要は将来の夢物語は跡地利用で語り、まずは2025年にこういう整備を行うという絵をまとめなくてはいけない」

（中略）

森下氏「彩都か海沿いかという話になると思うんですが、彩都に関して言うと、道路がもう造るスペースがなくて、周りが全部住宅地なんで、アクセスがとりようがないと思うんですね。（中略）やっぱりこれから造るというのは夢洲しかないんだろうとは思うんですね。（中略）今の夢洲は万博後にIRにするのがいいと思います。IRにする中の感覚として、ここをどうやって万博会場に利用するかという的な発想でアクセスも造っていかないと（中略）」


森下氏以外にも夢洲を推すメンバーが2人いたが、うち1人は彩都も推しており、夢洲を強く推す森下氏が彩都を否定している。

†支え合う維新と安倍政権、絡み合うIRと万博

続く第2回整備等部会（2016年8月12日）は、候補地のうち万博記念公園、大泉緑

地、舞洲、夢洲の4カ所をメンバーが視察した後に会議があった。7人が発言しており、夢洲を推すのが4人、万博公園が1人、夢洲・万博公園・大泉緑地のいずれかという人が1人。森下氏も出席しているが、議事録に発言は出てこない。

夢洲を推すメンバーが多かったが結論は出ておらず、部会長を務める橋爪紳也・大阪府立大学特別教授（当時）が「本日のご意見・ご感想等を踏まえながら、今後会場を候補地から絞っていく」と議論を引き取っている。

ところが、9月29日の第3回整備等部会では状況が一変している。

意見交換の冒頭、国際貿易投資研究所の江原規由主任研究員（同）が「夢洲で万博を開催するということについて、参考ということでお話しさせていただきたい」と切り出し、「大阪万博でスマートシティのモデルを夢洲につくる。そういういい方、紹介をしたらどうか」と夢洲の打ち出し方を提案し、他のメンバーの意見も夢洲開催が前提になっている。

同部会の直後に開かれた全体会議に提出された「『2025日本万国博覧会』基本構想（素案）」には既に「大阪市臨海部の『夢洲』を想定」と記され、夢洲が開催条件を「具備している」と強調している。

2回目の部会は結論が出ずに終わったのに、約1カ月半後の3回目は冒頭から夢洲を会場として議論が進んでいる。では、いつ、どこで、誰が夢洲を会場に決めたのか。最も大事な部分の意思決定プロセスが不透明だ。

3回目の部会前日の2016年9月28日、安倍晋三首相（当時）が衆院本会議の代表質問で「万博は開催地のみならず、我が国を訪れる観光客が増大し、地域経済活性化の起爆剤になる」と答弁している。質問者は日本維新の会の馬場伸幸幹事長（同）だ。菅義偉官房長官（同）も翌29日の記者会見で「大阪のため、日本のため、誘致は一つの大きな起爆剤になる」とし、日本維新の会代表の松井一郎・大阪府知事（同）も同日、「20年（東京五輪）の後に成長を続けられるよう日本全体で盛り上げ、実現したい」と意気込んだ。

日本維新の会が主導する万博誘致を自民党政権が強力にバックアップしている姿を見せつけた2日間は、この時点でもまだ万博に及び腰だった関西財界に覚悟を決めさせるには十分なパフォーマンスだった。

万博の基本構想は10月28日の第4回全体会議で府案としてまとめられ、11月9日に国へ提出。翌12月にはＩＲ推進法が可決・成立し、施行される。そして、17年4月11日に大阪での万博開催が閣議決定。18年7月20日にＩＲ整備法が成立する。

このようにＩＲと万博の誘致の過程を見ていくと、時期も舞台も絡み合うようにして進んでおり、万博をＩＲ誘致のためのインフラ整備に利用したのではないかという疑念は拭えない。ＩＲの収益の８割を担うとされるカジノへの大阪府民の拒否反応は根強く、万博のための整備費用ならともかく、ＩＲのための整備費用に莫大な税金を投入することには拒否感があると考えるからだ。

そして、その拒否感が可視化される出来事があった。

22年７月29日、ＩＲ誘致の是非を問う住民投票条例案が大阪府議会に提出されたのだ。大阪維新の会、公明党などの反対多数で即日否決されたものの、特筆すべきは、市民団体が住民投票条例案を府議会に提出するのに必要な署名数を集めきったことだ。

府民の50分の１（約14万６千）という法定数を大きく上回る21万１３４筆の署名を集めて19万２７７３筆の有効署名を獲得。筆者も大阪市民の50分の１ならともかく、府民の50分の１の署名を約２カ月間で集めることは不可能だろうと考えており、ＩＲ推進派の府議も衝撃を受けていた。

条例案は否決されたが、府議会で取材していた筆者には、四条畷市の男性の「ギャンブル依存症には薬もワクチンもない。子どもの不幸の上に成り立つ経済再建を望んでいるのか」という訴えが、強く印象に残っている。

†万博は「府市一体の成果」とアピールする維新

ＩＲと万博の関係については、ＢＩＥでの開催決定から6日後の２０１８年11月30日、大阪市議会本会議で共産党の井上浩市議が万博の大阪誘致決定と大阪メトロの夢洲までの延伸を踏まえて吉村市長（当時）に問うている。

井上「今回誘致が決まった万博は、半年間の期間限定イベントなのであって、そのために５４０億円かけて鉄道を延伸するなどということは財政を破綻に導くものでしかありません。万博の関連事業費などではなく、夢洲を拠点にしようとしているＩＲ・カジノの関連事業費というほかありません。仮に地下鉄を延伸したとして、万博後、地下鉄の採算がとれるという保証はあるのでしょうか。人の住まない人工島に地下鉄を通すなど論外であり、全てはＩＲ・カジノのためのお膳立てだということがはっきりしたのではないでしょうか。（中略）いのち輝く未来社会とカジノは共存し得ないと考えますが、ＩＲ誘致は断念すべきではないでしょうか」

吉村市長「万博とＩＲというのは異なるプロジェクトでありますが、いずれも大阪成長の起爆剤になる非常に大きな経済効果が生じるものであると思いますし、それにつなげてまいりたいと思います。（中略）今、大阪でも多くの依存症の方がいらっしゃいますので、IRをきっかけに、きちっと今までやってこなかった国それから大阪も挙げて対策し、依存症患者の方の最小化を図っていくという形に向けて取り組んでいきたいと思います」

井上「万博開催が決定したことを受け、府市が連携した成果だ、やっぱり都構想が必要だと言われていますが、これは、あからさまに万博を政治利用するものだと言わなければなりません」

吉村市長「今回の万博の誘致の成功についてですが、これは、やはり多くの市民の皆さん、府民の皆さんのお支えをいただいたオールジャパンの結集の成果だというふうに認識しています。ただ、その前提として土俵に上がる必要があります。土俵に上がるときに、大阪府と大阪市がねじれていては土俵にすら上がることができない。この点、今回大阪府、大阪市一体になって大きな世界的プロジェクトに挑戦しようということが、いわゆる府市一体となったことが大きな成果だというふうに思っています」

ここで吉村氏は、万博誘致が成功した前提として府と市の連携があったと強調している。

この質疑から約4年半、23年4月の統一地方選告示を控えた3月20日、大阪府知事選の立候補予定者による討論会があった。19年4月に松井氏と立場を入れ替える異例の「クロス選挙」で、市長から知事になっていた吉村氏も出席。2期目となる知事選出馬の理由として「大阪・関西万博を最後まで責任を持ってやりきって成功させる」ことを挙げ、「誘致の時代から携わってきたが、最初から関わった人間として最後まで責任を持ってやりきりたい。万博において未来社会を実現させたい」とアピールしていた。

選挙や記者会見やメディア出演など、さまざまな場所で維新の首長たちは「大阪府と大阪市が一体となったこと」が万博誘致につながったと、維新政治の成果をアピールしてきた。

だが、その半面、万博事業の進捗をきちんと把握・管理できていたとはとても言えない。23年の統一地方選に突入する半年ほど前から、既に工期遅れの問題が取り沙汰され、会場建設費の膨張もささやかれていた。

†予算増を予測できぬ協会、容認する維新首長

筆者が大阪日日新聞の記者として最後の2年間に力を入れていたのは、国の認可に向け

て大詰めを迎えていたIRの問題についてだ。関係者に取材を重ねるほど、カジノで収益の8割を賄う施設を、大阪府・市が一体で誘致を目指すという行政としての矜持のなさ、IRが抱える課題の多さに疑問が膨らんでいった。

中国の法規制による中国人富裕層という巨大マーケットの消失。オンラインギャンブルの台頭によるリアルカジノの収益減少。国内外で深刻さを増すギャンブル依存症。誘致先である夢洲の軟弱地盤とアクセスの悪さ。どれ一つとっても、解決困難な課題が浮かび上がる。IRを取り巻く環境が大きく変化しているにもかかわらず、従来の計画に固執して進もうとする大阪府・市の姿は、組織が致命的な失敗に陥る典型例に思えた。

なかでも夢洲の土地問題は万博でも共有するリスクであると意識し、工期遅れ、コスト上昇、防災対策への取材につながった。

大阪の政治の特徴は行政との一体化が進んでいることだ。大阪維新の会という地域政党(政治団体)のトップが大阪府と大阪市の首長を務める状況が2011年11月から12年以上続いている。議会の方も同年4月から大阪府議会で過半数、大阪市議会で第1党を維持し、21年4月には府・市両議会で過半数を獲得。吉村知事や横山英幸・現大阪市長の提案を維新が単独で可決できる盤石の態勢を築き上げた。

23年に噴き出した万博の会場建設費の増額問題に対する大阪府議会、大阪市議会の議論には、そんな政治状況が大きく反映されている。

会場建設費は当初予定の1250億円が20年12月に1850億円に、さらに23年10月には2350億円になるという二度の増額があった。万博協会は1回目の増額理由を暑さ対策やシンボルの「大屋根リング」のデザイン変更が主因だとし、2回目はロシアによるウクライナ侵攻や円安による物価高騰の影響だと説明した。

1度目の増加額600億円の内訳は、託児所・診療所などの施設拡充やドライミスト発生装置320億円、大きな批判を浴びた大屋根リングのデザイン変更170億円などとなっている。増額分も国、大阪府・市、経済界が3分の1ずつ負担するため、当時の井上信治万博担当相は大阪に出向き、理解を求めた。吉村知事は「何度も増加すると府民、市民も「どうなの」となる。増加は最後に」、松井市長も「万博を成功させるための必要経費」と容認した。大阪府・市は万博協会に「これ以上増額しないように」とあらためて申し入れ、吉村知事は記者団に「これが最後だ」と強調していた。

ところが、そこから3年も経たずに2度目の増額となる。増加額は500億円。物価上昇で高騰した資材価格や人件費、さらに将来の物価上昇に対応する予備費130億円などが含まれていた。万博協会の責任について記者会見で問われた石毛事務総長は「責任と言われても何をもっておっしゃるのか」と苦笑し、「想定外のこともあり、やむを得なかった」と話した。

ロシアのウクライナ侵攻と円安が重なったことは確かに想定外だろう。しかし、筆者には「やむを得ない」とは到底思えない。

まず、増額の内容は異なるが、数百億円単位の大幅な上振れを突然知らされる状況は同じだ。少なくとも2回目の増額は、ロシアの侵攻が始まった22年の時点で懸念されており、筆者も万博協会に質問していた。だが、担当者の答えは「物価上昇の前の段階で発注しているので影響は少ない」と楽観的だった。

1回目の増額にしても、暑さ対策が必要なことは当初から分かっていたはずだ。前述した万博基本構想検討会議整備等部会でも、上海万博を例にその重要性が議論されていた。大屋根リングの170億円増額にしてもデザインのどこがどう変わったのか、きちんと公表されていない。

当初計画からみて1・9倍となる1100億円もの増額は、報告の遅さも含めて見通しが甘かったと言わざるを得ない。

会場建設費増額の原因のひとつ、大屋根リング
筆者撮影

大阪市には過去の大規模事業で大きな赤字を出した反省から、外部有識者も参加する大規模リスク管理会議が設置されている。万博も当然、対象事業だ。そのリスク管理が機能しているのか、筆者は松井市長に質したことがある。21年1月21日の記者会見。松井市長の答えはこうだった。

「万博については、これはもう当初の図面と全く違うもんなので、大阪市の事業に伴う財政リスクというよりは、新しい設計図による予算、会場建設費なので、そもそも当初の計画と比べてどうリスクが出たかという話ではないねという、そういう話もあった」

「万博は推進母体としては協会がやっているわけで協会との意思疎通を密にやるようにというような指摘はあった」

「図面が全く違う」ものが出てくれば、当初予算の中でできる範囲で収めるよう努めるのが同会議の役割ではないのか。2度目の増額で主因と説明される物価上昇などは、上昇の兆候が見えた際の早い段階で議論されるべき話ではないのか。

2度目の増額後、大阪府・市から万博協会に出された「一層厳しいコスト管理と縮減」「会場建設費の執行状況の公表を」などの要望は、1度目の増額時から趣旨としては課題に挙がっていた。しかし、その後も万博協会は政府から指示されるまで会場建設費の精査をせず、負担する大阪府・市、経済界への報告もしていなかったという。結果を見れば、実効性ある改善ができていなかったことは明らかだ。

この2度目の増額に関しては23年11月14日、大阪市議会の万博特別委員会で万博協会の担当者を参考人として質疑が行われている。焦点となったのは、担当者が増額を予見できなかったのか、会長や事務総長ら幹部にどの時点で報告したのか、ということだった。

だが、万博協会の担当者はのらりくらりと明言を避け、幹部への報告についてはこう言った。

「事務総長は（会長や副会長に）報告する側であり、事務総長がいつ認識したのかということは特にないけれども、副会長を務める大阪府知事や大阪市長、また会長をはじめとする経済界に対しては10月20日に報告した」

つまり、万博協会の会長である十倉雅和・経団連会長、副会長である吉村知事や横山市長、関経連の松本会長らが建設費の上振れを知ったのは、一般の人とほぼ変わらない時期だったということになる。

筆者が驚いたのは「事務総長がいつ認識したのかということは特にない」という答えだ。万博協会がいつ会場建設費の上振れを認識したかは極めて重要だ。1850億円の事業で500億円もの上振れを把握できておらず、国に指示されるまで動かなかったとすれば、当事者能力が欠如していると言わざるを得ないし、早い段階で把握していて報告しなかったとすれば、莫大な税金が投入されている事実を軽視している。「特にない」で済ますことのできる問題ではない。

†15万人が避難？　現実味を欠く防災対策

大阪市議会の万博特別委員会では、もう一つ重要な質疑が行われている。防災対策だ。2023年以降に次々と表面化した工期遅れやコスト膨張の問題も確かに重要だが、世界から要人を招き、全国の子どもたちに参加を呼びかける万博の最重要課題は防災対策・安全管理だと筆者は考える。そのために万全の対策を施しているか、だ。

24年元日に能登半島地震が発生し、同年3月には万博会場の一部でメタンガスに引火したガス爆発事故があった。能登半島地震の被災地では液状化という悪条件が重なり、避難、救援、復旧いずれの段階でも大きな障壁となることをまざまざと見せつけられた。

ガス爆発では廃棄物埋め立て処分場から噴出するメタンガスの危険性を思い知らされた。人工島である夢洲は、能登半島以上の軟弱地盤とアクセスの悪さが指摘されながら、あえて大規模イベントの会場にしているのであり、同様の地震が起こった時に「想定外だった」などという言い訳は通用しない。

万博の開催期間は25年4月13日から10月13日の184日間。万博協会は来場者数を2820万人と想定し、ピーク時には1日22万人を超える来場者を見込んでいる。大阪市内から夢洲へのアクセスルートは前述した通り、舞洲との間に架かる夢舞大橋と、咲洲とつなぐ夢咲トンネルの二つしかない。

筆者が取材した防災の専門家によると、地震の際に橋とトンネルの二つのルートから22万人を逃がすことは不可能だ。大阪府・市は「南海トラフ地震を想定した最大震度6弱の揺れに対しても耐震性を備えている」と説明するが、実際に避難するためには本当に安全かどうかの確認作業が必要だ。結果として安全が確認できない場合はどうするのか。来場者は夢洲内に残るしかない。万博協会はピーク時の7割、約15万人の来場者に対応する食料・飲料などの備蓄を用意する方針だが、避難施設はどうするのか。

公明党の司隆史市議が、委員会に出席した協会担当者にこう質している。

「会場建設費関連の資料を見ると、警備関係の事項は確認できるけれども、避難場所や備蓄倉庫など防災施設に関わる事項が見当たらず、不安を覚えている。避難場所、また備蓄倉庫などの防災施設の整備費について、今回の会場建設費の中に含まれているのか、また運営費等に含まれているのか。（中略）今後、防災計画の策定が検討されているというけれども、その計画いかんで、さらに追加の費用が発生するような一番避けなければならない3度目の上振れみたいなことが起きるのか」

万博協会担当者の回答はこうだ。

「備蓄倉庫については今、3カ所整備をすることになっていて、会場建設費を使って整備している。防災基本計画はただいま策定しているところだが、現在、策定している中身において会場建設費を追加するような内容はない。運営費の話もあったが、どういう防災体制、運営体制を組むかについては、今、防災基本計画で検討している」

「策定している中身において会場建設費を追加するような内容はない」ということは、避難場所について予算を確保していないということだ。つまり23年11月時点では、夢洲会場内に備蓄倉庫は設けるが、避難施設を造る計画はないということになる。

筆者は24年2月15日に行われた夢洲を管理している大阪市の予算会見で、担当部局に避難所開設の予算を計上していないことも確認している。とすれば、地震の際に橋と海中トンネルだけで15万人もの来場者を避難させることになる。そんなことが現実に可能なのだろうか。

†橋とトンネルは避難路に使えるか

万博協会が策定中だと答弁した「防災基本計画」(初版)は同委員会の質疑の約1カ月後、2023年12月に公表された。

計画の対象とする災害を、地震・津波▽風水害▽落雷▽猛暑▽火災▽その他の災害としている。想定される災害の中で最も危険なのは地震だ。台風なら数日前から進路や規模がある程度分かり、危険が高まれば台風が通り過ぎるまで休園することも可能だが、地震はいつ起こるかわからない。夢洲内に避難場所がない以上、重要になるのが避難計画だが、現時点の計画には簡単な項目とイメージ図しかない。

詳細な避難計画をどうするのか、万博協会の副会長でもある吉村知事に24年1月31日の記者会見で質問したところ、「まだこれは初版なので、より具体的な計画を立てる必要がある。最悪のシミュレーションを想定した上で、24年夏頃に防災実施計画を策定して、そこへ盛り込んでいく」と語った。

しかし、現状の防災基本計画の延長線上に防災実施計画があるのだとすれば、問題が多いと筆者は考える。基本計画では会場外への避難、つまり夢洲の外に避難する場合、夢舞大橋を渡って舞洲の一時退避施設に行くか、夢咲トンネルを通って咲洲の一時退避施設に行くかという二つの選択になっている。

基本計画の「避難・帰宅支援」という項目をみると、「来場者の避難や帰宅支援にあっては、別図7に示すフローで実施する。次に掲げる事項について検討し、別途避難計画等で定める」と説明。検討事項としては、会場内避難▽会場外避難及び帰宅支援▽広域避難▽帰宅困難者対策の4項目を挙げているが、具体的な中身に乏しい。

別図7「来場者避難・帰宅イメージ図」も、1枚の図の中で、避難のパターンを「会場内避難」「会場外避難又は帰宅支援」「広域避難」の三つに分類しただけの、ごく簡単なものだ。

会場内避難については〈協会の責任のもとに行う〉と明記。〈屋内避難、屋外避難、区画避難などパターン別の避難方法で誘導を行う〉とし、対策例としては〈大雨や落雷時の

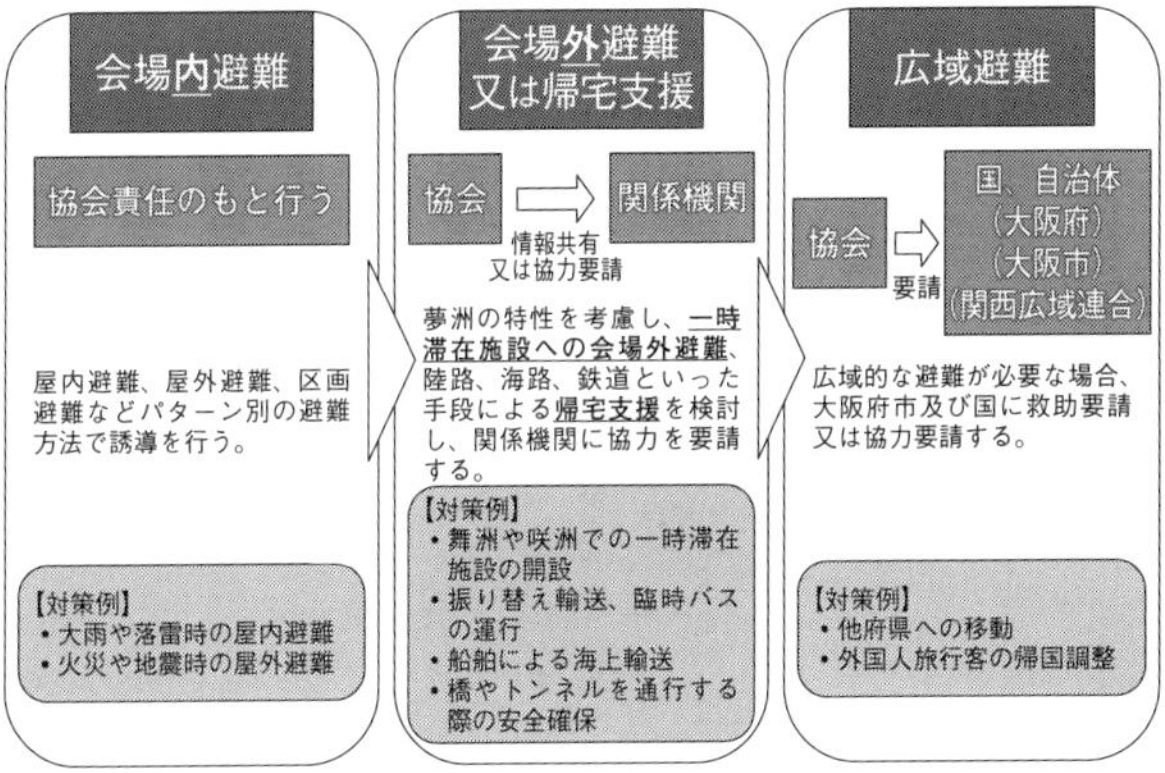

来場者避難・帰宅イメージ図
「2025年日本国際博覧会 防災基本計画（初版）」より作成

屋内避難〉〈火災や地震時の屋外避難〉という記述にとどまり、どこにどのように誘導するという具体的な方法はなんら記されていない。

会場外避難又は帰宅支援は、〈協会と関係機関が情報共有又は、協会から関係機関への協力要請〉とあり、〈夢洲の特性を考慮し、一時滞在施設への会場外避難、陸路、海路、鉄道といった手段による帰宅支援を検討し、関係機関に協力を要請する〉と記述。対策例として〈舞洲や咲洲での一時滞在施設の開設〉〈振り替え輸送、臨時バスの運行〉〈船舶による海上輸送〉〈橋やトンネルを通行する際の安全確保〉とあるが、具体性がないのは同じだ。

広域避難も同様で、協会が〈大阪府市、及び国に救助要請または協力要請する〉とし、対策例としては〈他府県への移動〉〈外国人旅行客の帰国調整〉を挙げている。

†「夢洲は液状化しない」想定の誤り

2024年4月25日の会見で吉村知事に再度聞くと、こう語った。

「大きな地震が起きたら夢洲だけが被災することはあり得ないので、大阪全体の被災計画になる。夢洲へのトンネルと橋は耐震化が完了済み。橋が見た目は崩れていなくても、安全に通行できるかを調査する必要がある。安全であると判断してから橋を使うので、タイムラグが生じる。橋のチェックの一定期間に多くの人が滞留することを前提にした防災計画が重要。備蓄倉庫、非常用電源も備える。夢洲は海面から10メートルの非常に高い所に造っている。津波の心配はむしろ湾岸の内陸部の方が危険な状態。夢洲に特化した防災計画も具体的にいろいろと想定しながら策定していこうと考えている」

だが、橋やトンネルの安全性をチェックし、危険だから使えないとなった場合はどうするのか。島内に留まるしかないだろう。ところが、前述した万博協会担当者の説明と同様、吉村知事も備蓄倉庫や非常用電源には言及するが、避難施設の設置には触れていない。夢洲が孤立してしまった場合、来場者はどこでどう過ごせばいいのか、まだ何も決まっていないということになる。

夢洲を管理する大阪市の横山市長にも24年5月17日の記者会見で、夢舞大橋と夢咲トンネルが地震で使用できなくなった場合の避難計画について聞いた。こんな答えだった。

「避難経路が完全に断たれて夢洲内に孤立するシチュエーションが現実的にどのレベルで起きるのか考えないといけない。夢洲内で何万人が孤立する状態というのがどれくらいの可能性で考えられるのか。アクションプラン（防災実施計画）の中でどう位置付けていくか考えていきたい」と話す。

こちらも、まだそこまで考えられていないということのようだ。一方で防災の専門家は「地震時には停電で大阪メトロが動かなくなったり、液状化で車が使えなくなったりする可能性もある」と指摘し、15万人が夢洲に孤立することを想定する必要があると説く。

専門家の意見を踏まえて再質問すると、横山市長は「想定される事態では大阪市内が壊滅的な状態になっていると思う。夢洲だけが被災するわけではないから。協会や推進局に確認し、夢洲内での待機、どれぐらいの蓋然性が高いのか。ただ、最悪の場合を考えて、どう想定するのかは意見として言っときたいとは思う」と答えた。

防災基本計画には他にも懸念材料がある。液状化可能性予測だ。〈夢洲では、主に港湾や河川を掘削した際に生じた粘土質のしゅんせつ土砂で埋め立てるといった対策が講じられており、会場の大部分は液状化が起こらない想定となっている。それに比べて、咲洲及び舞洲に関しては、液状化が起こる可能性が高い〉となっている。つまり夢洲から舞洲や咲洲への避難は、液状化の可能性の低い場所から、高い場所へ行くことになる。

しかも、この液状化予測自体が実態を反映しておらず、正確性を欠く。実は夢洲は過去に土壌調査で液状化の可能性を指摘されているのだ。

そのことを示すのが、万博会場の北側で行われているもう一つの工事だ。30年秋頃の開業を目指すIRのための地盤改良工事である。大阪市は液状化対策・土壌汚染対策・地中障害物撤去などで最大788億円の公金をつぎ込むことを複数年度にわたる債務負担行為として決めている。もともと大阪市は、夢洲は液状化しないと想定していたが、IR事業者の調査によって液状化の可能性が指摘され、対策を余儀なくされた経緯がある。

「たとえ橋やトンネルが無事でも、液状化で道路が使用できなくなれば車が使えず、徒歩で避難しなければならない可能性がある」と専門家は指摘する。

横山市長が言う通り、大地震の場合は夢洲だけが被災するわけではない。万博来場者の

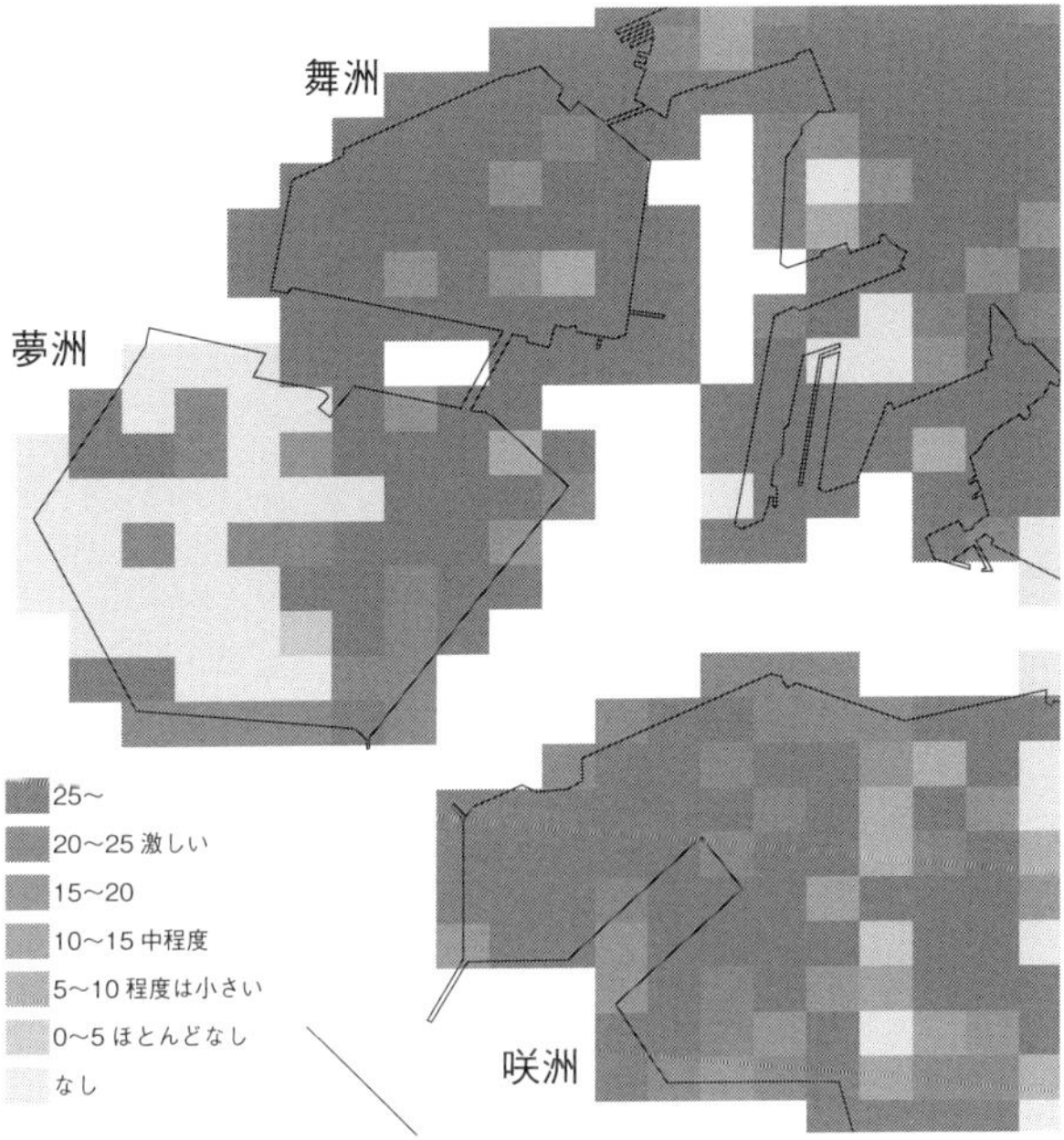

南海トラフ巨大地震による液状化予測図
「2025年日本国際博覧会 防災基本計画（初版）」より作成

安全を確保するためにはまず、夢洲の孤立を想定した避難施設が島内に必要であり、夢洲外への避難については舞洲と咲洲、近隣区も含めた防災計画が必要となる。

今夏をめどに策定されるという防災実施計画を注視していきたい。

†爆発事故で問われた万博協会の説明不足

来場者の安全を脅かすもう一つの問題、メタンガスの爆発事故は夢洲の成り立ちに起因するものだ。

万博協会の発表によると、事故は2024年3月28日午前10時55分頃、グリーンワールド（GW）工区にある屋外イベント広場横のトイレで溶接作業中に起きた。溶接の火花がメタンガスに引火して爆発し、コンクリート製の床と床点検口の約100平方メートルが破損したが、けが人はなかったという。

GW工区は一般廃棄物の焼却灰などで埋め立てられた区域だ。施設としては、団体バスが停車する交通ターミナル、バスやタクシーなどで来る来場者の入場ゲート、イベント広場や飲食店・物販店などができる予定だという。

万博協会は事故翌日の29日、現場の被害状況、再発防止策を作成することをホームページで公表。専門家の意見を聞いて事故原因や再発防止策をとりまとめ、4月19日に公表している。ところが、その後の5月22日になって、爆発事故により新たに屋根材のへこみなど10カ所以上の破損が判明。万博協会は、施工事業者の報告が同20日にあったため把握が遅れたと説明した。

この事故では夢洲会場の安全性とともに、万博協会の情報公開の姿勢が問われた。たとえば、筆者が傍聴した大阪市議会の都市経済委員会では、公明党の山口悟朗市議が万博協会からの情報があまりにも少ないことを指摘した。消防署への通報が発生の約4時間半後だった、破損が天井にも及んだ等の情報が後から判明し、市民の不安が募っている、もっと積極的に情報公開して説明していくべきだと求めた。

そのうえで「万博開催中は小学生の無料招待もある。市長として、協会の理事として本当に安心安全に万博を開催できるとお考えか」と質問。横山市長はこう答弁した。

「今回の事故を受けて、協会は会期中の安全対策について専門家の意見を聞きながら、換気設備の見直しを検討し、爆発等の危険性がないように取り組む。パビリオンワールドについてもガス濃度の測定を実施して適切に対応していく」

市議が指摘したように、万博協会は情報公開に消極的すぎる。当初の発表では写真が1

枚しかなく、被害状況を矮小化したいのではないかと疑念が生じた。そもそも、同委員会に万博協会の職員は出席しておらず、府市万博推進局の職員が代わりに答弁していた。

市議の一人は「委員会に協会の人間を呼ぶよう要請しているが、嫌がっている」と憤り、ある府議は「非公開で行われた機運醸成がテーマの会議には万博協会職員も出席していた。オープンで議事録に残る会議を、協会は嫌がっているようだ」と指摘する。

†巨大事業を検証する仕組みがない

「議事録に残る」ことを嫌がる万博協会の姿勢は、巨額の税金をつぎ込む事業でありながら、詳細な検証を妨げる障壁になる。東京五輪の組織委員会で談合や汚職などの事件が起きた要因の一つは、組織形態にあると指摘されている。組織委は事業が終われば解散するうえ、公益財団法人であるため情報公開請求の対象とならない。簡易な財務諸表などは公表しているが、意思決定過程が見えないのだ。

公益社団法人である万博協会も、問題は五輪組織委と共通している。事業を外部の目で検証できる仕組みがないことが、なし崩し的な工事の遅れや費用の膨張、そうした問題報告の遅さにつながっているのではないか。事故情報や安全対策についてもそうだ。

検証の必要性について、筆者は松井氏の市長在任時に何度も繰り返し聞いている。たとえば2022年7月28日の記者会見では、こんなやり取りをした。

筆者「東京五輪は組織委が公益財団法人のため、検証しづらいことが問題になっている。万博協会について検証できる仕組みが必要ではないか」

松井市長「検証はできる限りフルオープンで議論するところだと思う。それから議事録をすべて残しとくと。協会の方はわれわれが運営しているわけではないので、大阪市と大阪府と同等に、様々な会議を公開せよとまで僕らが指示・命令できるわけではないが、せめて様々な議論をした中で、議事録などはやっぱり検証できる体制を作っておくべきだと思う。今の大阪府・大阪市の役所組織っていうのは、全国でもトップクラスの（情報公開）制度を作っているんじゃないかなと思います」

続いて、同年12月15日。

筆者「大阪市から協会に（検証の仕組みを）ビルトインしていくよう提案するお考えは」

松井市長「これはもう公的な事業ですから、事業経過とか、内部の意思決定とか、フルオープンが基本。オリンピックでは汚職が一番問題視された。それは先日、協会の事務総長の石毛さんともまさにそういうことがないように、チェック体制と見える化については徹底してやっていこうねっていう話はしている」

筆者「（落札した企業だけでなく）何社が競合し、どこが落としたかまで見られるように」

松井市長「オリンピックのああいう事件があったわけだから、一点の曇りもないようにしましょうねと伝えておく」

年が明けた23年1月4日の会見でも、念押しで質問した。

筆者「情報公開と検証の仕組みを質問した際、一点の曇りもないよう石毛事務総長に伝えるということでしたが、年末にお会いされて話されましたか」

松井市長「してますよ。万博というビッグイベントで一部の人たちが不正な、不当な利益を得ることにならないように、そこはもう十分情報をオープンにしながら、国民の皆さんの理解を得ましょうねと言ってます」
筆者「万博協会は情報公開請求の対象になっていませんが、検証の仕組みについては何かお話しされましたか」
松井市長「細かい仕組みの話はしてないが、公益法人の中での議論っていうのもこれ、すべて公開で会議もしてますし、疑惑を持たれるようなことにはならないんじゃないかな」

実際に松井氏と石毛氏が情報公開のあり方について話したかどうかはわからない。だが、いずれにせよ、万博協会の情報の出し方は現在に至るまで十分とはとても言えない。
さらに松井氏が自賛していた大阪府・市の情報公開や検証できる仕組みも大きく揺らいでいることが、万博・IRの取材過程で見えてきた。

†大阪府HPから消えた万博議事録

2024年5月29日、大阪府のホームページ（HP）がリニューアルされた。筆者は事前に知らなかったが、5月22日の記者会見で吉村知事が発表していた。

会見の記録によれば、吉村知事は「大阪府のＨＰですけれども、若干分かりづらいなと、情報の検索もしづらいなというところがあった。それを改めていこうと。スマホの時代にも合ったＨＰに改変していこうと」と述べている。スマホ対応や検索機能の向上に加え、万博ＰＲもリニューアルの目的のようだ。トップページでは、未来に向かってまちがつくられていく様子がイラストとアニメーションで表現されている。

単なるデザイン変更や機能充実であれば何も問題はない。だが、気になるのは過去の記録の取り扱いだ。記者の一人が「たとえば10年前の事業、審議会や予算案などの情報が削られることはないのか」と問うと、知事と担当職員はこう答えている。

知事「過去の情報を今回削るということはないと思います」

担当職員「必要な情報にアクセスしやすくなるよう、不要なページについては一定各所属で判断して、整理も行っている。旧に載っている情報は、新になっても間違いなく移行されるように作業させていただいております」

知事「旧ＨＰに載っている情報は、新ＨＰにも載るということでいいんですか」

担当職員「基本はそうなります。随分昔の不要なページにつきましては、削除は一定させていただいております」

両者の答えに微妙なズレがある。削除対象となる「随分昔」とはいつからか。「不要なページ」とは誰がどういう基準で判断するのか。試しに、筆者がこの章を書くために閲覧していた「万博基本構想検討会議」を検索すると、リニューアル当初は該当する項目は出てくるものの、クリックすると「ページがみつかりません」と表示された。「お探しのページが削除された、ページアドレスが変更された、またはアドレス（URL）の入力ミスなどの可能性があります」という。現在は項目すら表示されない。

これでは、万博を巡って府庁内でいつ、どのような議論があり、どんな経緯を経て、誰が何を決定し、事業が遂行されていったのか、検証が不可能になる。松井市長が「全国の中でもトップクラス」と自賛していた大阪府の制度は府民が何も知らされないうちに崩れ始めている。いや、そもそも本当に情報の公開性が「全国トップクラス」だったのか——。

先に詳述したように、議事録が公開され、容易にアクセスできていた時点でも、万博会場が夢洲に決まった肝心の意思決定過程はよくわからなかった。第5章で松本創氏が触れているが、情報公開請求で開示された文書を見ても不明だ。

同じようなことは、吉村知事・横山市長という現在の体制になってからもあった。たとえば23年11月1日の大阪府・市の万博推進本部会議。この日は万博協会が示した会場建設費の2度目の上振れにどう対応するかを決める場で、報道陣にも公開されていた。

しかし、用意された資料には既に〈博覧会協会より提示のあった会場建設費の増額（1850億円→2350億円）を受け入れることとする〉と記されていた。これは増額容認の結論ありき、形だけの会議ではないかという質問が終了後の会見で出た。

吉村知事と横山市長は、それぞれこんな趣旨のことを答えている。

吉村知事「最初に説明を受けてからこの間、担当部局と博覧会協会で相互に確認しながら実務的な作業を行ってきた。できるだけ僕は見える化を図るべきだと思っていて、そうする義務があるかといえば別にないが、できる限りの見える化を図ってきた。もちろん実務的な確認も行ってきた。その結果が今日であるということです」

横山市長「事務的には当然、水面下での調整も含めて進めておりますし、そうじゃないと、この検証結果も出なかったわけです。この間のやりとりがあった上で、それでもブラックボックスになることなく、公開してみなさんのもとで、最終の行政としての意思決定をしていこうというのが本日です」

つまり、筆者も含め記者たちが見せられていたのは、実際の行政の意思決定の現場ではなく、すでに決まっている結論に向かって行政マンが演じる舞台ということになる。

確かに詳細な資料も出てくるし、発言内容も把握できるので、何もやらないよりはましだという考え方もあるかも知れない。しかし、このやり方では、本当のところ、誰が、いつ、どういう理由で意思決定をしたのかは分からない。また、ここまで極端ではなくても、他の公開されていた会議も、本当にそこで意思決定していたのかという疑念が出てくる。

「万博と政治」というテーマで一連の経緯を検証する中で、あらためて感じたのは大阪の維新一強体制の弊害だった。大阪府と大阪市、政治と行政、首長政党と議会が一体化してしまい、チェックや歯止めが利かなくなっているのだ。

維新の首長は橋下氏以来、積極的に取材に応じ、フルオープンを誇っている。記者会見で時間に余裕がある際には、質問がなくなるまで対応する姿勢は立派なものだと思う。府市の様々な会議や審議会なども公開し、透明性をアピールしている。

しかし、それは自分たちに都合のよい部分だけを見せているだけではないか。真に重要な情報やプロセスは結局、覆い隠されているのではないか。

万博を巡って噴出する数々の問題は、そうした維新政治・行政の恣意性、不透明性、そして独善性を物語っているように、筆者には思えるのだ。

第2章

都市の孤島「夢洲」という悪夢の選択――万博と建築

森山高至

†日本の万博出展史に見る海外パビリオンの重要性

2025年大阪・関西万博のパビリオン建設が危ういことになっている。開催日までにいくつかのパビリオンは完成しない可能性があり、さらにはパビリオン建設を諦めてしまう参加国も続出……という事態である。これは筆者も1年以上前から懸念していたことなのだが、当初の予定に対し、パビリオンだけでなく、インフラの計画も着工も遅れに遅れたことによるためだ。

なぜこのような事態になってしまったのか。これまで工期絶対厳守、と言われてきた我が国の建設工事事情の中で、工期が遅れるどころか建設を諦めてしまうといったことが、どうして起こってしまったのか。そのことについて検証していきたい。

まず、万博のパビリオンとは何か。パビリオン（pavilion）とは、展示会や博覧会に用いられる仮設の建築物、テント、展示館のことを指す。つまり、万国博覧会というからには様々な国々や地域、組織が、自らの文化や文物を展示し、より多くの人びとに知ってもらうための空間を構成する仮設の構造物、ささっとイベント直前に建ててイベント終了と同時に撤収する、いわば屋台である。

そのためパビリオンの作り方や構成技術そのものに迅速な工事を促す工夫が必要で、さらにパビリオンの造形や素材などに情報発信力のあるアイコン化も求められる。つまり、パビリオンそのものが参加各国のアイデンティティや思想を表現するキャラクターともなるわけだ。

我が国と万博の歴史をひも解けば、日本人が初めて参加した1867年の第2回パリ万博では、日本国全体ではなく、当時の先進的な薩摩藩と佐賀藩、江戸幕府が三つの地域として、それぞれ参加した。

展示に供された浮世絵や陶磁器はじめ工芸品の数々が、ヨーロッパ諸国からすれば未知の東洋の国「JAPAN」の存在を大きく印象づけるものとなり、続く1873年のウィーン万博において、日本政府として初めて公式参加したのだが、美術工芸品を展示するだけでなく、開催地に日本館として与えられた敷地内に日本庭園を設営した。この日本庭園には神社や白木の鳥居も設けられ、池泉《ちせん》に反《そ》り橋《ばし》も懸けられた本格的な日本庭園であり、日本という国とその文化を実地に体感できるものとなり、エキゾチックな建築デザインだけでなく、それを取り巻く盆栽的に創造された自然景観との対比が大きく評判を呼んだ。

その後の1904年セントルイス万博では、日本庭園の規模はさらに大きくなり、池や川、石灯籠に松などの樹木もさることながら、中央には京都・北山の金閣寺の金閣を配した大規模なもので、日本という国と文化を伝播《でんぱ》するだけでなく、金箔で光り輝く建物と自然景観の対比は諸外国の度肝を抜き、現在でも日本国のイメージを大きく諸外国に印象づけるものとなったのである。

その後も我が国は、戦前の万博において日本建築による日本館と展示物による空間の演出をパビリオン建設に込めている。というのも、日本の工芸品、美術品の多くは、展示会で単独鑑賞されることを前提にしたものではなく、掛け軸は和室の床の間、茶碗や香合《こうごう》などの陶磁器は茶室において茶会で、それらの建築空間は日本式庭園の中に点在するといった全体的なしつらえの中で、美術的価値、文化的思想を表現するものだからである。

そこには、風土的植生から入手可能な木材、流通可能な大きさ、加工寸法、その加工技術、絵画や陶磁器に使われる顔料や、色彩表現に使われる漆や染料といった素材とその生産技術までもが、トータルにひとつの地域の社会の仕組みの長い伝統と秩序を現前するものだからである。

以上のように、近代化に向かって世界にその存在感を表現する必要のあった我が国の歴史的状況を事例にみても、万国博覧会における参加各国による独自パビリオン建設は非常に重要なものであり、パビリオンそのものの形態や素材、構造や空間は参加各国の文化や思想、技術や産業を一目で表現し伝えることができるため、万博イコールパビリオン建設であり、各国のプレゼンテーションはパビリオンにおける空間体験に尽きるといっても過言ではないのである。

†建設遅れは参加国ではなく開催国の責任

その万博パビリオンが、大阪・関西万博においては着工の遅れだけでなく、建設準備をしていたにもかかわらず、その建設を諦めざるを得ない国が続出しているという。これは異常事態に相違ない。

その理由に関し、日本国際博覧会協会（以降は万博協会と表記する）は参加各国それぞれの国内事情によるものと嘯き一蹴しているようだが、本当にそうなのだろうか？

これまでの万博開催地においても建設が遅れているとか、経済的事情や紛争等により独自パビリオンは端《はな》から考えていない参加国の存在はあっただろう。しかしながら開催の1年ほど前までは独自パビリオン建設を表明し、そのデザインや完成予想図を発表していたにもかかわらず、直前になって建設を諦めてしまうような事態が過去にあったであろうか。

しかもその主な理由が「建設業者が決まらない」「建設業者が見つからない」ことに起因しているというのだ。

これは果たして、万博協会や大阪府知事が会見で発表したように、「各国のそれぞれ事情による」ものなのだろうか？　そもそも独自のパビリオン建設を表明していたはずの各国の「国内事情」が、なぜ「日本側の建設会社が受注しない理由」につながるのであろうか？

これまでの万博もそうだが、参加各国は開催都市の万博会場用地の一部を一定期間借り受け、そこに参加各国で準備したパビリオン設計図やデザインを、開催都市の建設会社に依頼するという形式を取る。その中で参加各国でしか入手し得ないような特殊な素材や、部品や装飾品などは参加国で製作し現地に持ち込まれることはあるが、建設そのものはインフラを含め現地調達ということになる。

ならば、各国の事情により「日本側の工事ができない」などというのは、明らかに矛盾しているとは言えまいか。

日本側で準備できないものは参加各国で準備するわけであり、既に発表されたデザイン案があり、その設計図もあるという状況で、開催都市側の建設会社が受注できないというのは、明らかに開催都市側の事情ということになりはしないか。

開催まで1年を切って着工ができていないとか、建設会社が確定しないなどといった問題は、何か日本側の国内事情が各国のパビリオン建設を阻んでいるに違いないと考えるのが妥当ということになりはしないだろうか。

では、大阪・関西万博において、開催都市側である大阪府・市では、どのような問題を抱えていると考えられるのだろうか？

その一番大きな問題は、万博会場の夢洲《ゆめしま》という場所に関わる問題である。

†「夢洲」という悪条件――埋め立て安定せず、地盤沈下続く

夢洲は1980年代から、隣の舞洲《まいしま》に次ぐ大阪湾の北港処分地として廃棄物処理に使われた人工島である。先に埋め立てが終了した北港北地区は、公募により舞洲と名付けられ、文化レクリエーション施設を誘致。1990年代に大阪市が2008年オリンピック招致に立候補した際、メイン会場として構想されていた。その舞洲や大阪湾南港の人工島である咲洲《さきしま》に挟まれるように、さらに海側で北港処分地として1988年以降、予定では2025年まで、大阪府内における廃棄物処分機能を舞洲より受け継いだ場所が夢洲なのである。

その夢洲にIRを誘致する方針を大阪府・市が打ち出したのが2014年、相乗効果を狙って万博の候補地に決めたのが2016年のことである。本来なら処分場としての活用期間をまだ数年ほど残していたことから、廃棄物の処分がさらに可能な、全体で凹んでいる低地を万博開催のために急速埋め立てし、さらに夢洲には存在しなかった公共交通機関として、地下鉄を延伸する計画が実行に移されていくことになった。

夢洲は1区から4区までに分割されており、西端の1区は危険な化学物質も含む産業廃棄物処分場、東端の4区は海上運送のコンテナヤード、南端の2区と北端の3区は浚渫《しゅんせつ》土砂や陸上発生残土の処分地である。その中でも2区のエリアは今後も浚渫土の受け入れが可能な状態であったため、窪地で水が溜まった池のような状態であり、その水没エリアを

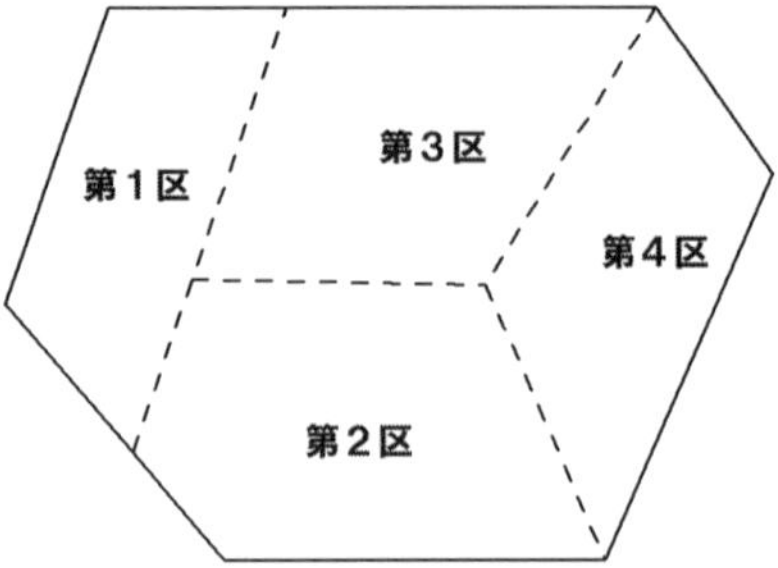

夢洲地区は４つの区に分かれている
「大阪市港湾局 2007年12月13日　事業報告書」より筆者作成

上手く活用する意味で「ウォーターワールド」と名づけ、リングの一部が水没エリアにまで延伸しちょうど安芸の宮島の鳥居のように見せる予定であったが、元の水辺はいったん埋め立てしたうえで、地中の汚染物質の影響を受けないように人工的な池を再構築する手間をかけている。

つまり、万博開催が正式決定した2018年から2、3年で一気に埋め立てを進行させて開催地としているのである。一見すると通常の陸上の空き地と同じように見える広大な更地だが、これらの拙速な埋め立て造成は大きな問題をはらんでいる。それは地盤沈下の問題である。

通常、海辺の埋め立て地は数年に渡り沈下を続ける。その沈下分をさらに盛り土しても沈下していくという継続的な過程をたどる。沈下量は海底までの水深と海底の地盤の組成に左右される。海上の埋め立ての場合、まず想定する場所に仕切り堤防を設け、取り囲んだ池の水を抜きながら中に土を埋めていくわけで、その土も付近の川底や港湾の浚渫により発生したヘドロなどの軟らかい廃棄土を活用する。

水抜きと土入れを繰り返しながら埋めていくと、その重量で海底の地盤も沈み始める。沈下の量と投入する土の量が時間と共にどう変化するかによって、最終的に埋め立て地の完成時期が予測されるのである。つまり、埋め立て地の造成とは、「いつまでに使用したいから、それまでに埋め立てろ」というのは非常に難しい要望で、むしろ「いつ頃には埋め立て地が落ち着きますので使用開始はいつ頃になります」という意見を基準にすべき事業なのである。

今回の夢洲用地と条件の近い大阪湾岸の埋め立て地活用で参考になるのが関西国際空港だ。水深20メートルほどの沖合を埋め立て、人工島の空港とした。その埋め立て初年度は、30メートルの盛り土に対し十数メートルも沈下している。その後も年間数十センチの沈下と盛り土を繰り返しながら3年ほど費やし、大きな沈下は終わったものの、現在まで30年近く経過しながら、今でも毎年数センチ単位で沈下し続けている。

これが「圧密沈下《あんみつちんか》」という現象である。土は一定の水分を含んでお互いにつながっており、上から圧力がかかると土中水分が抜け、その分沈下する。つまり埋め立てた土の量が多ければ、その分土砂は沈下し、沈下した分をさらに埋め続けるという、永遠とも思われる時間を要するのである。

　初年度で十数メートル沈んで2、3年で沈下は落ち着き、以降は数センチと聞けば、沈下量は100分の1に減ったのだから大丈夫では？　と思えるかもしれない。しかし土地の沈下と建物の関係ではそうはいかない。建物は沈まないように基礎や杭で支えると、土地が沈み続けるのならば入口では年々段差が生じ、給排水管は地面と建物のズレによって折れたり破れたりして機能不全に陥ってしまう。地震時の液状化のように使用不可能になってしまうのだ。そのため、関西空港の建物と基礎や地盤などは土地の沈下に合わせ、ジャッキアップできる構造を備えている。建設工事も土木工事も、地盤沈下対策にあらゆる最新の技術を振り向け、対策を取り続けている。それでも数年前の台風や大雨などの自然災害時に、建物や地下の排水が追い付かず一部水没して空港機能が麻痺するという事態が起こっている。

　この関西空港の事例でも明らかなように、埋め立て地の安定には長い時間がかかるのである。

この埋め立て地安定までの時間を少しでも短縮するために、盛り土しながら土中の水分を抜いてやり、必要以上に水分の侵入を防ぐ必要があり、そのための工事がサンドドレーンとか地盤改良と呼ばれる工事なのである。ＩＲ事業者から夢洲への利用検討条件として条件提示された追加工事というのがそれだ。

これらの地盤対策が十分とは言えないままで、夢洲は万博会場としての使用が決定されてしまったのである。そのため、夢洲ではパビリオンの工事に、特に基礎の設計に制約という大きな足かせを課しており、パビリオン建設要項の中で大きく問題点として強調していなかったために、そのことが十分に参加国だけでなく、我々国民にも周知されていないという実情がある。

†地盤対策上の制約その１――長すぎる杭と撤去の問題

一般的に、経過年代の浅い埋め立て地である夢洲のように地盤が弱く地下水位が高い土地の場合の建設対策には、杭を打つか、建物を船のように浮かせるという二つの方法が存在する。その建築工法による地盤対策に関して、大阪・関西万博では二つの大きな制約を課しているのである。

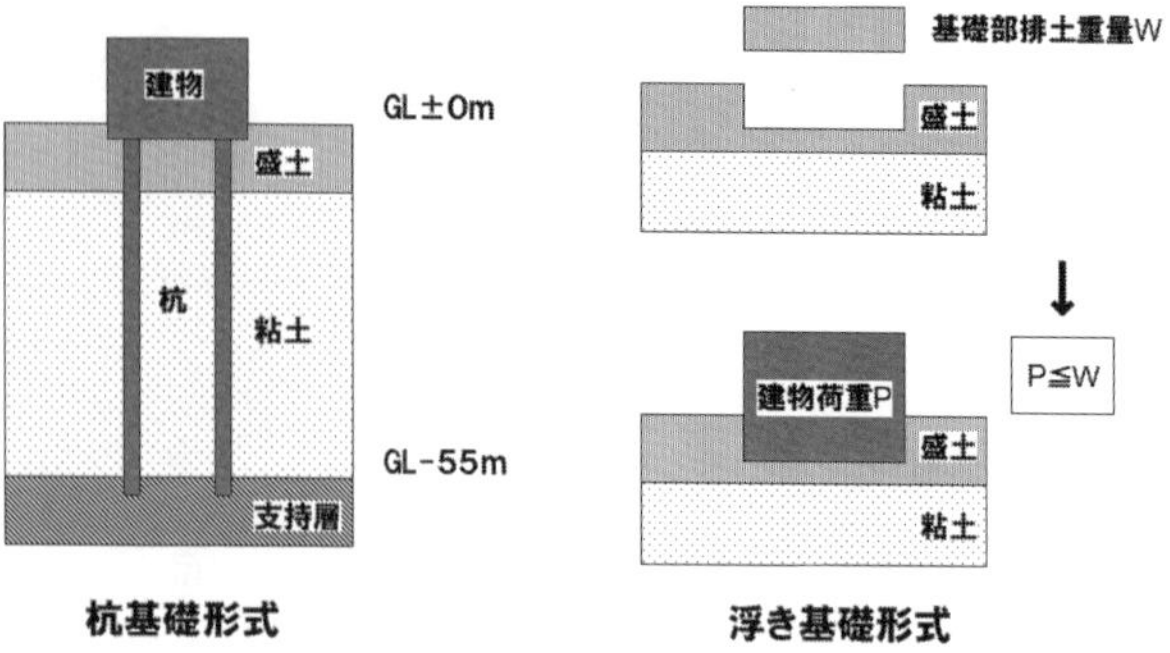

基礎形式制限の模式図

「パビリオン等の設計・建設に係るガイドライン、会場全体施工ルール　付録編」より筆者作成

一つ目は、支持地盤まで杭を打つ場合において、「万博終了後は杭を引き抜き更地にしろ」というもの、二つ目は「地下は2・5メートル以上掘ってはいけない」というものだ。これがパビリオン建設において、技術的な面と工期と費用の面で自己矛盾とも言える問題になってくるのである。

まず、杭打ちの方の問題だが、夢洲は埋め立て前の段階で、海底の地盤も粘土層と呼ばれる弱い地層が20数メートル堆積し、海上までの水深をプラスした長さでみると、40〜50メートルの長さの杭を打つ必要がある。杭の長さだけで15階建てのビルぐらいの高さがあるわけだ。その上にパビリオンの構造物を建てることになるのだが、パビリオンは大勢の人びとが入館する展示館やイベント会場として構想されているため、ライブ会場やホールや体育館のような形状をした3階建て程度の低層デザインになるのが一般的だ。高層ビルやタワマン形状をしているわけではない。

つまり、高さが低く底面積が大きい構造物は、地耐力（地盤が建物の荷重にどれだけ耐えられるか、地盤沈下に対する抵抗力がどれほどあるのかを示す指標）にやさしく、地盤さえ普通であれば、そのまま杭なしで建てられる構造形式なのである。しかし、夢洲はあまりの軟弱地盤であるため、地中に向けて杭が15階建てビルほどの長さが必要となりながら地上は3階程度という、非常にバランスの悪い構造物になってしまう。そんな杭を打つのであれば上部構造は高層化すべきほどのオーバースペックとなるのである。このバランスの悪さは構造強度だけではなく、工事の費用面や工期にも影響する。通常の陸上用地で万博パビリオン機能であれば地上3階分と基礎で済む建築構造であるものが、その数倍の地中構造をつくる予算と工期が別途必要になるからである。

参加各国からすれば、自国の内陸部に建てる建築や、これまでの万博会場と同様の通常の地盤強度を持った土地のつもりでパビリオンのデザインに力を入れ、構造や空間構成を練りに練っていたことだろう。各国内のコンペやコンテストで選ばれたパビリオンのデザイン提案が、いざ万博開催に向けて大阪で建築許可を取ろうとした時に、後出しで数倍の杭や基礎工事が追加されたようなものである。

しかも、建設時に莫大な費用をかけて杭工事を行ったものを、会期が終わった半年後にこの杭を抜き取って更地にして返さなくてはならないという制約が課せられている。杭の残置や地中埋設物があると、土地の価値が下がってしまうという理由からだ。

古い杭の存在が次の計画の邪魔をしてしまうのだ。これは、今回の万博会場跡地活用だけではなく、昨今の大都市再開発でも懸念事項になっている問題で、古いビルを壊した後で非常に苦労するのが地中の杭の処理である。杭は打つより抜くのが大変で、引き抜いた杭は何かの役に立つわけでもなく、そのまま廃棄物として処理する必要がある。数十年にわたり建物を支え減価償却されたビルであっても費用捻出が困難な杭の引き抜き工事を、半年しか使用しないパビリオンで強制されるとなると、パビリオンにおける杭工事は断念せざるを得ないのが現実だろう。

†地盤対策上の制約その2――掘削制限で地下室が作れず

では、杭打ちを止めて、建物を船のように浮かせる、建物に空洞の地下構造をつくる「浮き基礎」と呼ばれる方法はどうだろうか。これは案外簡単というか、地下利用上は合理的であり、通常の一般建築でコンクリートの建物が比較的重く地盤が軟弱な場合でも、地下室を設けてあれば地上部の建物の重さと同程度の浮力を地下室空洞によって持たせることが可能になる。

ちょうど、船の喫水《きっすい》以下が地下室、喫水より上が地上階という風に想像してもらえば理解しやすいだろう。万博パビリオンでもこの地下1階、地上2階もしくは3階という構成は非常に多い。特に1階や2階を開放的なイベント空間や展示空間としたい場合、地下に設備や事務機能を集約してしまう構成を取るのが合理的だからだ。

ところが、通常は当たり前に可能なこの建築の構成が、夢洲では非常に困難になっている。それが二つ目の制約「地下は2・5メートル以上掘るな」である。なぜ2・5メートルなのか。それは表面の盛り土の厚みが3メートルしかないためである。3メートルの盛り土だと、なぜ3メートル以上掘ってはいけないのだろうか。

その理由は地中の埋設物に原因があると考えられるのである。3メートル以上掘ると、その下に埋められたものが露出する可能性がある。では、盛り土3メートルの深さの下に何があるのか。それは廃棄物から滲出《しんしゅつ》した有害な化学物質ではないかと推察されている。

そもそも夢洲が北港処分地であった頃、処分エリアを1区から4区に分け、様々な産業廃棄物を埋め立て処分してきた。その中には公害問題で使用が禁止されたPCB（ポリ塩化ビフェニール）や、港湾の浚渫土に混じるダイオキシンをはじめとする有害物質も含まれている。もちろんそれらの廃棄物は当時の法律や処理技術に基づいて処分されたと思われるが、十数年後に処分地が拙速に盛り土され、万博会場に使用されるとは予想していなかったはずなのである。結果として、現在の基準値以上の化学物質の滲出が起こる可能性があるのだ。

というのも、PCBが埋設されたのは夢洲の1区と呼ばれるエリアだけなのだが、厳密に他の区域と仕切られているわけではなく、人工島の地下では地下水で連結されているためである。水溶性の物質は地下水に溶け込み、大雨や高潮などの水位上昇で地上に上がってくる恐れがある。

それが証拠と言えるのかどうか、万博計画が誘致された当時のグランドデザインは、「ヴォロノイ分割」という細胞分裂や生物領域を分析する有機的幾何学を元にした多島海的デザインだったはずが突如、理由もなく中止されてしまっている。盛り土により表土《ひょうど》で覆い隠さなくてはならない事情があったのだろうと思われるが、どうせ盛り土をするなら3メートルではなく4メートルの厚みで行っていれば、パビリオン建設時の地下掘削も

3・5メートルまでは可能であったはずだ。現実には盛り土が3メートルしかないために掘削の深さが2・5メートルに制限され、その深さでは建築の地下室として使えないという結果になってしまっているのである。

地下室の天井高さを抑えればいけるのではないか？　という意見もあろうが、おそらくそうした建築構造の実情を知らない者らが〝机上の空論〟で決めてしまったのが、この数字なのではないだろうか。

まず、建築物の天井高さは2・1メートル以上と法律で決められている。その天井高さには天井ふところ（天井裏と上階との床下空間）が必要で、照明器具や配線を通すため、最低でも10数センチは確保しなければならない。床下にも同様に配管スペースが必要となる。トイレを設置するなら汚水タンクを床下に準備する必要もあり、最低でも1メートル程度の深さは必要になるのだ。結局、機能的な地下室を構成するには最低でも3・5メートルくらいは掘らなくてはならないのである。

つまり、建物を船のように構成する「浮き基礎」工法では、単に空洞を準備するだけであって、機能と設備を持った地下室の空間を作るのはほぼ不可能ということになる。

既に建築デザインを発表している国々の中には、地下室が重要な役割を持ったパビリオンもある。このままでは地下室を持たない構成に計画を変更するか、一階の床の高さを1メートル以上嵩上げする高床式の構成に設計をやり直すしかないという状況に陥っているのである。

杭は打ってもよいが引き抜かなくてはならない。地下を掘ってもよいが2・5メートルまで。この二つの制約を決めたことこそが、各国のパビリオン建設を大きく阻害しているのである。

では、現在建設中のパビリオンはこれらの問題をどう乗り切っているのかというと、基礎の問題を初めから考慮するならば、建築は重量の軽い鉄骨や木造のドーム構造となり、基礎はEPS置換と呼ばれる発泡スチロールによる土地の入れ替え工法の二つの対策を行っている可能性が高い。

しかし地下水位が上昇し過ぎると、これらの建物の重量を軽くしたことが仇になって、建築が浮き上がるという弊害も生じる可能性がある。つまり、沈むも浮くも余裕のないギリギリの構造計画によるのである。

†浚渫土からもメタンガス。爆発の危険は今後も

杭や地下室などの構造的問題に加えて、埋め立て地ならではの、廃棄物や浚渫土には付き物の問題が汚泥からの可燃性ガスの発生である。

24年3月28日には、万博会場西側の「グリーンワールド工区」のトイレ工事現場で溶接の火花が建物の地下空洞に溜まったメタンガスに引火し、コンクリートの床を割るほどの爆発が起きてしまった。ここは前述した処分地の区分では有害な廃棄物を埋める1区に当たるため、ゴミの腐敗などが原因とも言われるが、メタンガスの発生源はそれだけではない。浚渫土からも発生するのだ。

海浜の埋め立て地に使われる浚渫土とは、川底や湾底に溜まった腐敗した有機物、いわゆる「ヘドロ」である。これらは空気に触れることがないため嫌気発酵（酸素のないところで繁殖する菌による発酵）によって、メタンや硫化水素を発生させる。硫化水素は、いわゆるドブ臭（卵の腐ったような臭い）がして生物に対し毒性があるが、メタンの方は臭いがなく、空気より軽いため、埋め立て地中から大量に沸いてくる。

これが地面から空気中に拡散してくれればよいのだが、地表をコンクリートやアスファルトで覆ったり、地下構造物で蓋をすると、抑え込まれてどこかの隙間にガスが溜まってしまうのである。

メタンは一定以上の濃度になると、静電気や工事中の火花、タバコの火などで簡単に引火し爆発する。過去にも温泉の掘削中や地下鉄工事の現場で、臭いがないため、ガスが溜まっていることに気づかないまま火気に触れて、人命を失うほどの大爆発を起こしたことがある。3月の事故は、以前から指摘されていた懸念が的中したというわけだ。

万博協会は「パビリオンのエリアでメタンが発生することはない」としているが、地中の埋設物はきちんと仕切りされているわけでもなく、地下水でもつながっている。今後は工事中の火気使用や管理に厳重になるだけでなく、万博開催中も地中からのガスの噴出を常時モニタリングするなどの慎重な配慮も必要になってくるだろう。

以上が夢洲の土壌に起因し、パビリオン建設を妨げる障害の事例である。

†アクセス悪く電源もなし、「都市の孤島」の難工事

次にもう一つ、夢洲という場所の立地特性の問題がある。それは、都市における孤島という点である。大阪に限らず現代の都市というものは、その経済活動において人間やモノの移動、物流に依存しており、発展する都市の拠点空間においては、公共交通機関と交通輸送の利便性が最も重要視されている。新幹線や私鉄電車や地下鉄に数多く接続する駅、

高速道路の出入り口に近い場所、その両方を兼ねていれば商業地としてもオフィス立地としても発展することは間違いない。

同時に新たな交通機関の要衝《ようしょう》も、そうした経済的にも昼間人口としても突出して増加する地区に、接続や乗り入れを意識して計画される。それらの好条件を満たした地域には人も物流も集中するため、渋滞が発生することも考慮しなくてはならない。渋滞により本来の経済活動に支障が生じるようになれば、渋滞解消のためにさらなるインフラの増設や交通機関の迂回を検討しなければ、繁栄のエリアが徐々に他へ移ってしまうことも考えられる。

それを踏まえて夢洲という場所を見てみると、大阪湾の中心に位置し、海に向かって開けてはいるものの、大阪という都市においては辺境であり、都市機能が十分に接続している場所ではない。つまり、公共交通機関もインフラも整っている場所ではないのである。では万博を機に公共交通機関やインフラを整えればいいのかというと、そう簡単な話でもない。インフラ整備には次の展開や後背地を想定していなければ意味がない。さらなる関西圏の発展を和歌山県や奈良県といった周辺地域にまで及ぼす可能性のある結節点を開発するべきなのである。

夢洲で人の移動を含めた経済的な延伸が可能かというと、海に向かって行き止まりの人工島であり、それも望めない。そのことは将来の都市像を検討する以前に、万博工事において既に負の影響を及ぼしている。それは、孤島である夢洲へのアプローチが舞洲からの夢舞大橋と、咲洲からの夢咲トンネルという一本の道路の上下線しかなく、工事業者が現場に移動する手段が限られているということだ。夢洲への公共交通機関である地下鉄はまだ工事中で、開通していないため徒歩で行くのも難しい。

通常の都市の工事現場では、各工事会社は現場周辺に自前の大型バンや軽トラックなどで乗り付ける。それは、工事現場に人を運ぶだけではなく、資材や作業機械を持ち込む必要があるからだ。鉄骨や鉄筋など大型で重量のある部材は専用の輸送コンテナや大型トラックで搬入されるが、比較的軽量で小型の現場資材は各職人が購入して持ち込むのが通例である。そのため、各工事現場ともに必要な資材の迅速な荷下ろしと、効率のよい運搬を考慮して、施工の段取りを組む。その全体の流れをオーケストラの指揮者のごとく無駄なく指揮するのが現場監督の務めでもある。

夢洲では、そのような通常の工事現場とは桁違いに多くの建物が建設されるにもかかわらず、通常の搬入路が確保されていないのだ。工事現場周辺に、現場で働く人たち全員分の駐車場台数が完備されていない。そのため、現場作業員は夢洲の工事現場に渡るために、まず内陸側の集合場所に向かい、そこから現場へ乗り合いバスで通勤している。そうなると、身の回りの品以外は人力で運べる工具が限られる。重い機械や長い資材をその都度運ぶことはできない。工事作業中にちょっとした資材や工具の交換が必要になっても、おいそれと工事現場から近くのホームセンターや工具店に購入に向かうことも難しいのである。

つまり、夢洲の工事現場は都市の中心にあるように見えて、山間のダムとか離島の港湾施設といった工事条件と同じようなものなのである。休憩時の飲み物や弁当を購入できる店もほとんどなく、コンビニは今のところ夢洲内に一軒しかない状態だ。

また、作業工具や携帯電話への充電も、自由にどこでも電源が取れるわけではない。現場への電力供給も、現時点で一部は準備中のままであり、発電機持参で工具を使用している工事会社や作業員もいると聞く。このように、通常の工事現場では起き得ない障害や苦労が付きまとっている中で、これまで以上に迅速に作業を進めていくことは至難の業と言える。

†厳しい残業規制が工事進捗の足かせに

そのような現場立地を背景に、さらなる困難が待ち受けている。それは既に始まっている通称「残業禁止令」だ。2019年の「働き方改革関連法」成立を受け、労働基準法が改正され、残業の上限規制が決められた、いわゆる「2024年問題」である。

残業時間が原則的に、月45時間まで、年では360時間が上限とされた。特別な事情で労使の合意があっても720時間まで、月45時間を超えることができるのも6カ月間に限るというものである。これは土木・建設業、自動車運転業務、医師などについては業務の性質上、5年間の猶予措置が設けられていたが、24年度から適用になった。違反した雇用者には懲役または罰金が科せられるという厳しい内容である。

これまでも各業界で建前上は労働時間は8時間と制限されてはいたものの、特に建設業では残業が当たり前のような慣習が続いていた。工事現場における作業員の始業は朝8時もしくは8時半、昼食休憩を挟んで終業17時というのが原則ではある。しかし、工期が迫っていたり、天候に左右されたり、不測の事態で工事が遅れそうになると、無理をして残業で間に合わせてきたのが実情だ。

さらに、現場作業の前後には届け出や報告などの準備・事後作業がある。工事管理者は始業1時間前には工事現場に入り、始業の挨拶、現場指示、朝礼やラジオ体操などで様々な職種の職人を統括する。そして現場終業後には、その日の作業内容のチェックや翌日に必要な資材準備、次の工程への発注準備や人の手配、施工図の作成など多忙であり、現場事務所を後にするのが夜の10時や11時、あるいは終電ギリギリまでということもざらにあった。

結果として、8時間の現場作業の前に1時間、後に3時間程度の残業は必然とされてきた業界の事情がある。週休2日も守られているとは言い難い。その結果、工事管理者の残業時間は週に20時間、月に80時間、年では1000時間を優に超えていた。

現場作業員にしても、工事現場で働くのは8時から17時であっても、その前に本社に集合し、車に乗り合って現場へ向かうのが一般的で、帰りも本社に戻るまでの移動時間をともなう。現場が遠隔地で1時間以上かかったり、渋滞でさらに遅れたりすれば、出社から退社までに3時間の残業がついて回ることになるだろう。夢洲の万博会場へはアクセスの脆弱さもあって、この移動時間が工事進捗の大きな足かせとなっているのである。

24年4月以降の厳しい残業規制を守る限り、これまでと比べると工事進捗は70％程度に後退するだろう。それでも工事を急ぐならば二交代制にすることだが、人件費が倍増する。進捗の低下と費用の倍増の両方を呑み込んでいかなくてはならないのだ。工事現場の立地や現場までのアクセスが、工事の進捗や費用にモロに跳ね返ってくるのは必然なのである。

これらの事情に加え、世界中での輸送コンテナ不足、紛争地域の拡大、日本円の急激な円安への為替変動もあって輸入資材や燃料が高騰し、その影響で建材も5割近く上昇している。建設コストの内訳は材料3割、人件費5割、管理費・間接経費2割と言われ、資材が5割増しで人件費も5割増しならば、総工事費では4割以上の上振れが予想される。万博も、開催までにまた何度も費用増大のアナウンスがなされるだろう。初めから余裕のない費用見込みに加え、夢洲という「都市の孤島」を開催地に選んでしまったせいで、今後も主催者側の甘い見込みを超えて、費用増大を繰り返すことは必然となるに違いないのだ。

†参加国をフォローせず、タイプXを勧めた万博協会

ここまで、地盤や工事条件の制約、立地特性、労働条件、そして世界的な経済状況など、夢洲の万博会場建設を取り巻く環境の厳しさを列挙してきた。これほどの悪条件を抱え込めば通常の建設行為だけでも困難なことに加えて、万博パビリオンという各国が工夫を凝らした特殊解の建築を、同時に、同じ敷地の中で短期に建設するには、相当な困難を伴うことがご理解いただけたであろう。

この事情を汲んでか、あらかじめわかっていた上での確信犯的対応なのか、万博協会は

独自パビリオンではない、雑居ビルや商業モール型のパビリオンを準備していることを昨年の夏に発表した。それが、まるで郊外のロードサイドに位置する廉価なドラッグストアのようなプレハブ建築であることも、巷にはまだあまり知られていない。

万博なのだから各国が思い思いの華やかなデザインのパビリオンを建設し、祝祭的な空間が広がるものと多くの人が思い込んでいるだろう。しかし、今回の万博には当初からABCの3つのタイプがあった。

まずタイプAとは、参加各国が独自のデザイン設計で日本のゼネコンに依頼する、住宅新築でいえばお好きな設計事務所でお好きな工務店でどうぞ、という注文住宅型。タイプBは、参加各国の依頼に応じて日本側で設計し工事する、住宅新築でいえば建築条件付き建売住宅。タイプCは、建物は日本側で準備、間仕切りをするので自由に内装をしてくださいという、住宅で言えばアパートもしくは長屋式店舗、あるいはガレージハウスと考えればわかりやすいだろう。

それらに加え、昨年の夏ごろ突如発表されたのがタイプXと呼ばれるものだ。これが非常にお粗末というか、現時点では概要が具体的に摑めていないのだが、プレハブの長屋みたいなものの表面に、薄い板や緑化シートなどで覆うという代物らしいのである。

しかも、タイプAのパビリオン建設準備に各国が苦慮しているさなか、その解決やコーディネーションを怠ったまま、タイプXを数棟、受注予定の大和ハウス工業に事前発注したとも発表された。しかしながら、昨年の時点では参加各国は、当たり前といえば当たり前なのだが、自前の独自デザインのパビリオン建設にこだわり、タイプXへの移行は拒否したため、この事前発注が無駄になりキャンセル料まで請求されたという。

なぜ、万博に向けてパビリオン建設に鋭意努力している各国に適切なフォローをすることもなく、勝手にプレハブ入居を勧めるのか、万博協会は本当に万博を成功させる気があるのか、真意を疑うほどである。

1年前から言われていたこれらの問題――独自パビリオン建設の困難さ――が各国の努力により解決できる域を超えて暗礁に乗り上げてしまった理由は、これまで見てきた土地や立地の条件など物理的・環境的要因以外にも存在する。

それは建築発注の制度的問題であり、まさに人災と呼べるものである。

†参加国の焦り――設計者や工事業者見つからず

そもそも万博協会のパビリオン参加要項には各国語版はなく、英語と仏語しかない。この点だけをとっても主催者側の思惑の中に万国歓迎とは言い難い配慮不足が感じられる。現代はかつての冷戦時代のように国交のない国は激減しており、自動翻訳も進化している。少なくとも国連の公用語とされている6言語、中国語、ロシア語、スペイン語、アラビア語の準備はすべきではなかっただろうか。

それだけでなく、最も重要なことは、パビリオン建設において守るべき日本側の建設法規に関する解説が準備されていないことである。各国が設計デザインの最初から日本の建築法規を意識して進めていれば、その後の進捗はずいぶん変わっていただろう。結果として、各国は独自設計デザインした建築設計図を、各国で独自に日本側の協力設計事務所を探し、個別に契約して日本側で施工可能なように「翻案設計」を行う必要に駆られたわけである。

米国や英国などのように日本の建築家が数多く留学や就労の経験があり、そこからの人的つながりで容易に日本側設計者への依頼ができた国はいいだろうが、そうした馴染みのない国々では、まずこの日本側での設計と工事のコーディネーターを見つけることに苦慮していた。

ある国などは、その伝手がまったくなく、建設業ではない他業種で日本に貿易実績のある会社が、知り合いを通じて日本側での設計者を探すといった、大変に胡乱《うろん》な事態となっていた。結果として、当事国の医療商社がまず仲立ちし、その日本側の輸入商社が相談を受け、自分や知り合いの家やマンションの工事を行った会社に聞いて、日本側の設計者を探すといったことのために、数か月にもわたり時間を費やしていた。その間、万博協会や会場インフラに携わる大手ゼネコンもなんら救いの手を差し伸べるわけでもなく、およそ国際イベントとしては、受け入れ側の配慮不足としか言えない状況に陥っていた。

結果、この国は1年かかっても日本側の設計者が見つからず、万博開催までの着工期限が迫り、設計どころか工事金額の見積もりもできないという状況の中で、判断時期がどんどん遅れているのだ。

また別の国の場合は、日本側の設計者は見つかり、ある程度の設計も進み、建設許可までは取ったものの、次の段階である工事業者がどこも相談に乗らないし、乗れない、工事見積もりもしないという状況で途方に暮れている。なぜ、そのような事態に陥っているのか。それは万博をはじめ国際間での建設発注形態や契約や保障についての決まったフォーマットが準備されていないこと、そのような契約に馴れたゼネコンやコンストラクションマネジメント会社、法の専門家が国内に少な過ぎるからである。

建設場所は日本であり、日本の建築法規に則って日本側の建設会社が施工するわけだが、タイプAパビリオンにおいては、万博参加各国が自前で設計し自前で建設するという取り決めになっている。これは契約主体が外国ということで、ちょうど在日米軍工事や各国大使館工事における受注契約と等しいのである。そのため、契約内容が日本における建設契約のように簡便なものではなく、契約書面や金額、保障や制約についても各国語対応で法務の専門家を立てて行う必要がある。

だが通常、建設会社はドメスティックな（海外展開をしていない）存在であり、そもそも英語が堪能な事務担当者もいないことが多い。さらにいえば、パビリオン発注者の各国の工事資金の支払いも即時に行われるわけではなく、契約に基づく報告書や承認、質疑応答などを経て小切手など時間差が生じる支払い形態となるため、海外受注経験と余剰の工事資金を確保できていないと、受注し得ないということになる。

そのような実力を持っている日本側の建設会社といえば大手ゼネコン5社に加えて準大手ゼネコン数社しかなく、彼らが間に入るか一括受注してくれなければ、中小企業では建て替え払いもおぼつかなく、また工事内容の報告と請求から入金までの一貫した管理体制がなければ、工事はしたものの、支払いの遅れや訴訟に至り、資金ショートにより倒産ともなりかねないリスクがあるのである。結果として、利益とリスクを天秤にかければ万博のパビリオン工事は、工期が迫り予算も不明点が多く、非常にリスクの高い仕事と判断をせざるを得ないのである。

また、発注主体は万博参加国かもしれないが、その発注の流れに複数の商社や仲介者が介在し、日本側で直接契約する対象の企業が、聞いたこともない異業種の零細企業であったという事態に、尻込みした建設会社もある。結局、日本側での対応設計者や工事会社を見つけることができないまま独自パビリオンから撤退した国々も出始めている。一方で、このような事態を抱えたまま、独自パビリオン建設を諦めていない国も十数カ国あり、日本側の設計者からは開催延期を切望する声も上がっている。

†電通の不在とゼネコンの「逃げ腰」

なぜこのような事態に陥っているのかといえば、東京オリンピックでも問題視された電通の存在がある。いや、大阪・関西万博ではその電通の存在がないのである。これまでも大きな国際イベントの場合、電通の存在は絶大で、受発注での収賄が事件化されてはいるものの、海外企業との間で契約やマネジメントを行い、政府間で調整し、イベントをつつがなくおこなう人材やノウハウの蓄積は電通にしかなかったもので、ある意味日本の国際イベントは電通におんぶにだっこで進まざるを得なかった。ある意味で必要悪——悪といっても一部の不埒《ふらち》な個人なのだが——なのである。

その電通が、東京オリンピックでの摘発を受け、大阪・関西万博では十分な動きや本来の役目を担うことができていない。その動きや役目とは主に、契約と支払いの受託である。たとえば、海外からの発注における、日本側企業への契約のコンサルティングだけでなく、支払いの一時立て替えなどが挙げられる。電通はこの間で2〜3割の手数料を抜くわけであるが、その手数料を支払っても、日本側企業は受注金の一時支払いが受けられ、契約そのものも電通であれば信用保証もあるというわけである。結果、巨額の保証能力をもった電通の存在によって、発注側も受注側も資金の流れが一本化されるということになる。この仕組みは表向き入札の形式を取りながら、暗に特命での受発注などを伴うため、収賄の温床にもなりがちなのだが、いわゆるイベントの興行主のようなもので、プロジェクトを円滑に進めるためには不可欠なものだったのである。

その電通を排除した状況での万博開催は、そのような裏方の機能を万博協会をはじめ関係者が十分理解したうえで、そこに変わる組織や対応を準備できれば画期的なクリーンなイベント興行になるはずのものであったが、電通に代わる大企業のバックアップもなく、現状は機能不全だけが放置されている。

ここで前回のEXPO'70（1970年大阪万博）に言及しておくと、その時に電通のような動きをしたのは大手ゼネコンの竹中工務店である。これだけ大きな工事現場では延べ数十万人という人間が同時に関わる。そのため責任者を明確にして指揮系統を上意下達で徹底しなければ、日和見と保身が蔓延してしまう。そこで、当時の万博会場全体の請負は竹中工務店に一本化し、会場建設の統括を同社のエース級現場監督に一任。全体の工事割り振り、工区設定、人的手配や官公庁との交渉、資金の配分や支払いにまで携わることで、大きな合戦を指揮する将軍のように、八面六臂《はちめんろっぴ》の活躍で短期間での大工事をやり遂げることができたのである。

同様に、今回の夢洲の工事でも本来なら在阪の大手ゼネコンがまず一括受注し、その指揮権の下で各工事会社の配置や受発注等の仕切りを行わなければならないことは自明なのである。しかし、現状はそうではない。会場をぐるりと覆う万博のシンボルと呼ばれる木造リング、それさえも工区は3つに分割されており、別々の工事会社が請け負っている。

結果、何が起こっているかというと、自分らの受け持ち工区だけさっさと終わらせて退散しようという風潮である。そのため、木造リングの基礎工法について、水辺の軟弱なエリアに入り込んでいる工区の竹中工務店は「安全を鑑みて杭を打たせてくれ」と、杭工事を主張した。しかし、他の工区ではそこまでの必要はないとして、万博協会は杭工事の要望を却下している。つまり、全体での最適化ではなく、「余計なことをされると自分らも巻き込まれる」という日和見と保身の判断であろう。

†木造リングが覆い隠す深刻すぎる工事遅れ

こうした状況が続いた結果、現在までのところ、万博の本来の建築物である各国パビリオンの建設進捗は放置されたまま、周辺の木造リングや軟弱地盤をあらかじめ読み込んで重量の軽いドーム建築などでデザイン対応した日本側の企業パビリオンのみがどんどん先行して、一見うまく進んでいるように見えてしまっている。「万博の華」と呼ばれる各国パビリオンは開催時期までに完成できるかどうかわからないまま、なんとか着工できないかという検討が続いているのである。これは、万博工事全体に責任を負う者がいないためである。

木造リング工事はリングの分割工区が終われば自分らの役目は終わり、日本側の企業パビリオンも受託した設計者と工事会社で、そこのみ完成させれば使命を果たしたことになり、万博そのもののメイン会場は知ったこっちゃない、もとより自分らの受注範囲外なのである。

このような末期的事態を見えにくくしている——結果として隠蔽してしまっているのが、かの木造リングであることも皮肉な事態と言えるだろう。

昨年末より木造リングが一部立ち上がるたびに万博協会はじめ関係者は湧いた。と同時に工事進捗に対し、心配も疑問も持たなくなってしまったのである。大きな円形の構造物は雑多な会場をぱっと見、一つにまとめ上げるには視覚的にも非常に効果的で、リングで囲われた部分に関しては既にでき上がっているかのような印象を与えてしまっているのだ。同時に、木の骨組みだけというのも日本国民には有効で、誰もが見慣れた住宅の上棟式（棟上げ）の状態を大きなスケールで再現しているため、未知の構造物ではなく既知の構造物があと少しで完成するという雰囲気に呑み込まれてしまっている。万博の開催を危ぶむ批判の声や主催者の懸念をいったん消失させ、問題を先送りする結果となってしまっているのだ。

あの木造リングがあるために「できていないものまで、できているように感じてしまう」、あの木造リングがあるために「今後の工事進捗にさらなる悪影響を及ぼす可能性」があるのである。

本来なら、リング内部の各国パビリオンが林立し、ひとつの都市が形成されつつある脇で、最後の最後に木造リングで会場を城壁のように囲うというのが、適切な工事の流れであったはずだからである。

今後、万博会場内には都合100棟近くの建物がこれから建ち上がってくる。それは街づくりと同じで、工事敷地までの道路や水道や電気などが自在にアプローチできることが前提だ。建材の搬入動線や作業動線がいくつにも分散されていなければ、渋滞やすり抜けなどで危険な箇所が複数生じてしまうからだ。

ところが、木造リングの先行配置によって工事現場へのアプローチが6か所に絞られているという。しかも、木造リングの柱や梁をすり抜ける場所は、山門状の通り抜けとなっており、クレーンをはじめ背の高い重機はそのまま通り抜けることはできない。さらには既にでき上がっているリングの柱や梁に傷をつけることがないよう慎重な配慮が必要になる。

これは住宅のリフォームで、先に入口の壁が仕上がっているところで建材を運び込んだり工具で作業する時、周りを傷をつけないよう気を使わねばならないのと同じだ。6か所の出入口というのは、通り抜けで考えると3本の道路しかないということになる。3本の道路からしかアプローチできない場所に数十の工事現場があるというのは、その交通整理だけでも至難であり、作業に支障が出ることは自明である。

そのため、各工区の工事会社はできるだけ早く着工し、完成させて現場を離れたいと考えている。最後まで居残ってしまうとどんどん工事進捗は遅れてしまう。結果として工期の遅れを理由に契約違反やペナルティを取られては元も子もなく、受注したことで経営が傾く恐れすらある。余計にパビリオン工事から国内の建設会社が逃げ回るようになる要因が、ここにもある。

木造リングの存在が万博会場を視覚的に完成に見せることで、万博協会はじめ関係者を偽りの進捗へといざない、深刻な状況が存在しないかのように欺き安心させ、万博のメインである各国パビリオン工事進捗を阻んでいるという、大いなる皮肉である。

†本質見ず、議論もなし。暴走する「机上の空論」

ここまでの事態を生み出してしまった根本原因とはなんであろうか。

一つ一つの工事や企画や取り決めに言及すればキリがないが、それらを引き起こした根

第3章

「電通・吉本」依存が招いた混乱と迷走——万博とメディア

西岡研介

†東京五輪談合事件の衝撃と余波

開幕まで残すところ8カ月。にもかかわらず、「大阪・関西万博（2025年日本国際博覧会）」に対する国民の関心は依然として低いまま、機運が盛り上がる兆しも見えない。

国と大阪府・市、民間企業からの出向者らで構成する「万博協会（2025年日本国際博覧会協会）」は、開幕500日前となった23年11月から入場券の前売りを始めたが、24年4月までの約4カ月の販売枚数は122万枚。目標とした1400万枚の1割にも届いていない。

「メディアに取り上げられる万博の話題といえば、『開催費用の膨張』に『海外パビリオン建設の遅れ』『350億円のリング（大屋根）』に『2億円のトイレ』……とネガティブなものばかり。機運が盛り上がらないのも致し方ないとは思います」

万博協会の広報・プロモーション局関係者の嘆きである。

「それでも、機運醸成にはメディアの協力とイベントなどでのPRが不可欠。本来なら、それを仕掛けるのが電通や博報堂、ADK（アサツー ディ・ケイ）などの大手広告代理店なのですが、それら代理店の動きが、あのオリンピックの事件で軒並み止まってしまった。それがいまだに響いているのです」

この協会関係者が言う「オリンピックの事件」とは、21年に開かれた2020年東京オリンピック・パラリンピックのスポンサー企業選定などをめぐって、大会組織委員会の理事だった電通OBが特定の企業に便宜を図る見返りに賄賂を受け取ったとして、東京地検特捜部に逮捕・起訴された事件だ。

特捜部は22年7月、収賄の容疑で、この元理事の自宅だけでなく、電通本社（東京都港区）を家宅捜索。8月には元理事を逮捕した。その後、博報堂DYホールディングス傘下の大広やADKホールディングスなど複数の広告代理店が、スポンサーの募集業務を受託できるよう組織委員会に働きかけてもらう見返りに、元理事に賄賂を贈っていた疑惑も発覚し、特捜部によって立件された。

さらに一連の捜査で、開催前の18年に行われたテスト大会の計画立案業務の入札をめぐり、複数の広告代理店が談合し、不正に入札価格を吊り上げていた疑惑も浮上した。これを受け、特捜部と公正取引委員会は独占禁止法違反の疑いで、電通や博報堂、ADK、東急エージェンシーなどの本社を家宅捜索。23年2月、特捜部は、発注側の組織委員会幹部と電通元幹部らを同容疑で逮捕した。

一連の事件を受けて大阪府は同月、万博関連事業も含め、府が新規に発注する業務への電通の入札参加資格を1年間（23年2月10日から24年2月9日まで）停止すると発表。翌月には博報堂や東急エージェンシーも1年間の指名停止にした。また万博を所管する経済産業省も同月、博報堂や東急エージェンシー、ADKマーケティング・ソリューションズなどに対し9カ月、大広に対しては6カ月の指名停止を発表した。

万博協会も同様に、前述の代理店各社を指名停止とした。経産省や大阪府・市が指名停止にした事業者は、停止期間中に協会の実施する入札に参加できないと定めているからだ。

前出の協会関係者が語る。

「機運醸成に最も力を入れるべき時期に、広告代理店が揃って指名停止となった影響は大きかった。ご承知の通り、協会は国と大阪府・市、民間企業などの寄せ集め組織です。おまけに所管官庁である経産省の担当者も含め、過去に万博の運営を経験した人は皆無に等しい。

そんな中、過去の日本国内での各種博覧会に加えて、上海（10年）やミラノ（15年）、ドバイ（21年）など、近年に海外で開かれた国際博の知見を持っていたのが広告代理店、特に電通でした。その電通が指名停止となり協会から出向者を引き上げたのは、万博全体の計画・運営面からも打撃でした」

この協会関係者の指摘する通り、電通をはじめとする広告代理店が万博で担う役割は、機運醸成のためのPR活動や、出展パビリオンの企画・運営だけに留まらない。

1970年の大阪万博（以下、70年万博）は日本だけでなく、アジアで初めてBIE（博覧会国際事務局）の承認を受けた国際博覧会（一般博。現在の区分では登録博）だった。その70年万博から数えて日本で3度目の登録博となる今回の大阪・関西万博までの半世紀余りで、国や地方自治体が開く博覧会にとって、広告代理店は必要不可欠な存在となっていった。

†電通が牽引した戦後の博覧会60年史

まず博覧会と広告代理店の歴史を、圧倒的な資金と顧客数で「業界のガリバー」と呼ばれる電通を中心に振り返ってみよう。

70年万博の開催が決定したのは1965年だが、電通は、その前段階から万国博覧会に関する資料を収集。それらを基に、BIEの認可申請に必要な政府文書の作成に協力していたという。同年10月には万博協会が発足し、電通や博報堂、大広などの広告代理店はこぞって協会に社員を出向させた。これ以降、国際博はもちろん、地方博も含め、国内で開催される博覧会の運営事務局に広告代理店の社員が出向するというシステムが確立された。

70年万博を前に電通は〈アジアで初めて開かれる万国博について日本人に経験者はいない。そこで電通は、この作業のパイオニアになるという気構えをもって臨む体制をとった〉（『電通一〇〇年史』）といい、66年1月、大阪支社を中心に「万国博室」を設置。同年12月には、東京本社にも同室が置かれた。さらに68年10月には社長直轄の「万国博事業本部」が発足。67年4月にカナダで開かれた「モントリオール万博」には、延べ60人もの社員を派遣し、報告書をまとめ、70年万博へのパビリオン出展を予定していた各企業に提供したという。

　多くの民間パビリオンの企画・広報を受注する一方で、メディアに強い影響力を持つ電通は、70年万博全体のPRも担った。開幕1年前には、〈万国博はだれでも行ける世界旅行〉とのコピーで、新聞やテレビ、ラジオを通じたCMを大々的に展開。前売り入場券発売キャンペーンでは、全国約60紙に万博特集記事が掲載された。さらに3月15日のオープニングセレモニーは、3時間にわたってUHF局を含む全国78局の民放で放映され、地方紙35紙に8ページのカラーグラビア特集が組まれた。

　70年万博の5年後、75年には、沖縄の日本返還と本土復帰を記念した「沖縄国際海洋博覧会（通称・沖縄海洋博）」があった。特定部門にテーマを絞る特別博（BIEの当時の区分。現在は認定博）だったが、電通はここから本格的に博覧会全体の運営に関わっていく。

　沖縄海洋博のゼネラルプランニングマネージャー（GPP）には、NHKの会長を3期9年にわたって務め、「NHK中興の祖」といわれた前田義徳が就任。その右腕となるGPP事務所の事務局長には、電通の営業総務局長だった豊田年郎（後に副社長）が就き、開会式からフィナーレまでの主要イベントをすべて電通が取り仕切った。

　さらにその10年後、85年の「国際科学技術博覧会（通称・つくば万博）」でも、電通は会期前のシンポジウムや全国PRキャラバンなど、博覧会全体の広報PR活動を担う一方で、出展パビリオン28館のうち18館を受注。まさに「電通万博」と呼ばれた。つくば万博では、パビリオンのコンセプト段階から電通の協力を求める企業が急増し、電通による、パビリオンのトータルプロデュースの仕組みが確立されたという。

そして、それまで電通が蓄積してきた博覧会に関する知見や運営ノウハウが最大限発揮されたのが、「愛・地球博」の通称で知られる「愛知万博（2005年日本国際博覧会）」だった。登録博としては日本で2回目となった愛知万博は、地元を代表する企業であり、電通の有力顧客であるトヨタが開催と成功に総力を挙げたことから「トヨタ万博」とも呼ばれたが、電通も運営はもちろんのこと、誘致段階から深く関わっていたという。

こうした経緯を踏まえて、話を現在に戻そう。

在阪民放局で大阪・関西万博の関連事業を担当する社員によると、今回も当初段階では電通が積極的に関与していたという。

「開催決定から3カ月後の19年2月、万博協会の事務所が大阪府の咲洲庁舎43階に開設されると、愛知万博の経験者で、前回のドバイ万博のこともよくご存じだったシニアマネージャーを中心とした電通の万博室のチームが大阪に乗り込んできました」

この電通万博室の正式な部署名は「2025年国際博覧会室」といい、現在は「日本国際博覧会センター」となっている。

「20年秋頃からは、電通が在阪民放各局の万博担当者に呼びかけ、協会の動きや入札をめぐる定期的な情報交換が始まりました。ところが、オリンピック談合事件で家宅捜索を受けた22年11月以降は、電通サイドの動きにブレーキがかかり、23年2月の指名停止で完全にストップ。協会に出向していたメンバーも全員引き上げてしまった」

†大阪府・市と政府、維新と自民の不協和音

70年万博以来の蓄積を活かし、大阪・関西万博も仕切るつもりだった電通だが、東京五輪の談合摘発で思惑が外れた——と、ここまでの話ではそう見える。だが、当の電通関係者によれば、今回の万博に対する同社の姿勢は「誘致段階から、前回の愛知万博とは明らかに温度差があった」という。

どういうことか。電通関係者が語る。

「原因は大阪府・市と国、もっと言えば維新と自民党との関係にあるんです。ご承知の通り、電通のクライアント政党は自民党ですから。自民と維新は、安倍（晋三・元首相）さ

ん、菅（義偉・前首相）さんの時代は、橋下（徹・元大阪府知事、大阪市長）さん、松井（一郎・前大阪府知事、大阪市長）さんと蜜月の関係だったとはいえ、それはあくまで中央政界での話。大阪では、当時も今もバチバチの〝戦争状態〟にあります。

　実は、橋下さんが府知事時代に、維新サイドから電通大阪支社（現在は関西オフィス）のほうに、『維新の代理店を電通でお願いできないか』という打診がありました。大阪支社の幹部らは乗り気だったんですが、東京の本社から『うちのクライアントは自民党。維新とは一切関わるな』とのお達しがあり、結局、維新の代理店は大広になったという経緯があったんです」

　その政治的な経緯は、今回の大阪・関西万博にも及んだという。誘致段階に起きた、あるできごとを電通関係者が振り返る。

「大阪・関西万博の立候補を政府が閣議了解した（17年4月）後、大阪府に万博協力室（後の万博推進局）が設置されました。万博誘致へ向けた国内の機運醸成業務の公募型プロポーザルが行われ、電通の大阪支社が受託したのですが、同時に、万博のプロモーション映像の制作も公募にかけられたんです。

　映像制作の公募参加資格には、国際博覧会や国際的なスポーツ大会においてプロモーション映像を制作した実績があるか、または、それと同等の能力を有すること——などの条件が付いていました。その実績があり、また、オリンピックレベルの映像を作れるのは電通ぐらいしかないので、当然のことながら電通が受託するものと思っていました。が、フタを開ければ大広が選ばれた。

大阪支社の幹部らは『大広さんは地元企業だし、維新の代理店でもあるから仕方ない』と諦めていました。大広が制作したプロモーション映像はしばらくの間、大阪府のホームページにアップされていました。

ところがその後、このプロモーション映像をBIEでのプレゼンテーションにも使うとなった段階で、政府（の誘致委員会）の方からクレームが付いた。『こんな映像では他国に勝てない』というんです。それで、経産省からの発注で（電通）本社が急いで作り直した。よって、BIEのプレゼン会場で流れた映像は電通制作のものでした」

今回の万博の機運が盛り上がらない要因の一つに指摘される、国（自民党）と大阪府・市（維新）との不協和音を象徴するようなエピソードだが、それは大阪での万博開催が決定した後も解消されずに続いたという。

「開催が決まったら、当然のことながら協会の事務所は東京に置かれるものと思っていました。開催地が大阪だとはいえ、『日本国際博覧会』、つまりは国のプロジェクトですから。実際、愛知万博の時は、開催決定の直後にまず、霞ヶ関の経産省の目の前のビルに協会の東京事務所が設置されました。その後、JR名古屋駅近くに名古屋事務所が開設され、開催時期が近づくにつれ、長久手と瀬戸の2会場に現地事務所が置かれたのです。

ところが今回の協会事務所は、まず大阪府の咲洲庁舎に置かれた。これには東京本社の万博室のメンバーも面食らっていました」

その後、万博協会の東京オフィスが、東京都千代田区の「全国都市会館」内に設置されたが、開幕3年前の22年4月時点で、在籍職員はわずか4人と形だけのものだった。同年7月に虎ノ門のオフィスビルに移転し、職員を14人に増やしたものの、電通から協会に出向した社員はもちろん、万博室のメンバーは大阪への出張や通勤を余儀なくされたという。

そうした状況の中で23年2月、オリンピック談合事件が発覚。指名停止処分となり、出向者を含む電通社員全員が、万博協会から引き上げたのは前述の通りだ。

†電通が万博に消極的になった理由

だが、前出の在阪民放の万博担当者によると、指名停止期間が終わった24年2月9日以降も電通の動きは鈍いままだという。

「今回の万博で、万博協会が目玉の一つとしているものに『フューチャーライフ万博・未来の都市』という、日立製作所やクボタ、川崎重工や神戸製鋼など名だたる企業12社が協賛し、協会と共同出展する事業があるんです。この事業の〈運営及び広報・プロモーション業務〉の公募型プロポーザルが発表されたのは24年の1月22日で、応募期間は同日から2月20日まで。まさに電通の『喪が明ける』（指名停止が終わる）のに合わせたかのような公募でした。

また、この事業には計画・設計段階から電通が関わっていたので、われわれも当然、電通が取りにいくものと思っていました。

ところが、公募に参加したのは電通ライブ（1社単独）と、TOPPAN（凸版印刷）や博報堂プロダクツなどのJV（共同企業体）、そしてDNP（大日本印刷）やコングレ（サミットや国際会議などの企画・運営会社）などで構成される『未来の都市推進共同企業体』の3者。電通本体は応募すらせず、結局は、未来の都市推進共同企業体が受託したのです」

電通ライブは、広告代理店の電通と同じく、持株会社「電通グループ」の100％出資子会社だ。イベントや空間事業の企画・運営などを主たる業務とし、博覧会でのパビリオンの運営ノウハウも電通と同様に持っている。

21年には、新型コロナウイルスの世界的な影響で開催が1年延期されたドバイ万博（2020年国際博覧会）に出展した「日本館」の総合プロデュースを手がけ、今回の大阪・関西万博でも、同じく電通グループ傘下の「電通西日本」とコンソーシアムを組み、「関西パビリオン」の設計・運営を受託している。

しかし、プロ野球の関西2球団が同時開催した23年11月の「阪神・オリックス優勝パレード」で、主催者の実行委員会が、電通ライブ関西支社と約1億9000万円の業務委託契約を締結していたことが24年1月に発覚。実行委員会には大阪府も名を連ねていたことから、指名停止中の電通と同じグループ会社に業務委託していたことの妥当性を問う声が上がった。

ちなみに、その1カ月前の23年12月には、万博で大阪府・市が出展する「大阪ヘルスケアパビリオン」の企画・運営を受託していた博報堂と、指名停止処分後も契約を続けていたことも明らかになっており、大阪府の吉村洋文知事は「公募に手が挙がらず、継続はやむを得ないと判断した」と述べていた。

話を本筋に戻そう。

万博の目玉事業の一つとされ、「計画・設計段階から関わっていた」とされる事業の公募型プロポーザルに、電通が応募すらしなかったのはなぜなのか。前出の電通関係者が内情を語る。

「それだけ電通にとってオリンピック談合事件の衝撃が大きかったということです。あの事件以降、電通はコンプライアンスとレピュテーションリスク（ネガティブな評価が社会に拡散され、企業の信用やブランド価値が低下すること）に極端にナーバスになりました。

国や自治体などの官公庁に対しては今後、『公募された案件を正規の手続きで受託することに限る』と。それ以外に直接、担当者や幹部に働きかけたり、事前に相談を受けたりといった『受注を前提とした営業活動は一切するな』という方針に変わったのです。

また、発注側の組織に出向者を出す一方で、受注業者になると必ず『利益誘導』『利益相反』などの批判を受けるので、それも今後は見合わせる、と。

しかし、そもそもオリンピックにしろ、万博にしろ、これまで日本で開催されてきた政府レベルのイベントについての様々な知見や運営ノウハウは、それを受注し、実際に遂行してきた電通をはじめとする大手広告代理店、つまりは『受注業者』側に蓄積されている。

だからこそ、政府もこれまで、大会組織委員会や万博協会への出向を代理店側に要請してきたわけです。また、国のメンツがかかったイベントだからこそ、代理店側も出向者以外にも社員を動員し、成功に少しでも寄与しようとしてきた。

けれども、今回のオリンピック談合事件を機に、電通に限らず、政府レベルのイベント事務局に社員を出向させる代理店はなくなるでしょう。ならば今後は、政府が直接職員を募集し、雇用するんですか？　という話です。何の知識も経験もノウハウもない素人を何人雇っても、莫大な人件費がかさむだけで、まともな運営などできないと思いますよ」

政府レベルのイベントは、企画・運営に関して全面的に広告代理店、とりわけ電通に依存してきた。2020年東京五輪も招致段階からそうだったという。

「招致委員会には、国際スポーツ界に通じる人脈もパイプもありませんでしたから。開催が決まってからも、万博協会と同様、国や東京都からの寄せ集めである組織委員会に、国際的なスポーツ大会の運営ノウハウを知っている人などいなかった。

本来なら組織委員会がしなければならない、スポンサー集めから事業者の選定、受注業者間の利害調整、果ては様々な金の立て替えからリスクヘッジまで、ややこしい作業はすべて電通がしてきたわけです。代わりに、電通は、その労に見合う仕事を受注した。

しかし、オリンピック談合事件では、政府と広告代理店のそうした〝慣習〟が、司法によって問題視され、摘発された。これまでの商慣行が事件になるのであれば、組織を守るため、会社として身を引くのは当然のことでしょう。

今回の事件では、若い頃から超優秀で、早くから『将来の社長候補』と目されていた榑《くれ》谷《たに》（典洋・前社長）さんが2年足らずで退任を余儀なくされた。その後を継いだ佐野（傑・現社長）さんが、これ以上のリスクは避けたいと考えるのは無理もありません」

また、そもそも五輪や万博は国家的メガイベントとはいえ、それほど収益が上がるものではないと、この電通関係者は言う。万博に消極的な原因はそれもある、と。

「電通は基本的に、民間企業の広告宣伝費で食べている会社です。オリンピックや万博は、国家事業だから政府のお手伝いをさせてもらっていただけの話。万博も確かに分母（予算）が大きいイベントではあるんですが、収益性の面からみれば、サミット（の運営）を受注した方が、よほど儲かりますから」

私が、この電通関係者から話を聞いたのは、前述の「フューチャーライフ万博・未来の都市」の公募型プロポーザルに、電通が参加せず、別の共同企業体の受託が決まった24年3月初めのことだった。

しかし、それから約3カ月後の5月31日、万博協会は、開催にあたって最も注目されるイベントとなる「開会式」と、その中で行われる協会主催の「The Human Orchestra」の実施計画の策定や運営を担う事業予定者に、「電通・電通ライブ・NHKエンタープライズ共同企業体」を選んだと発表したのだ。

この公募は4月19日から行われ、電通やNHKエンタープライズ（NEP）のJVの他に、博報堂も1社単独で応募していたが、電通のJVが、約10億円の提案金額で、最優秀提案事業者に選ばれた。

指名停止期間が終わった直後の2月段階では、前述の、万博の目玉事業の一つで、電通が「計画・設計段階から関わっていた」とされる事業の公募に、応募すらしなかったにもかかわらず、今回の「開幕式」の公募には参加し、受託したのはなぜなのか。

この2カ月間に電通社内で、今回の万博に対する姿勢の変化が生じたのだろうか。改めて、前出の電通関係者に問い合わせたところ、彼はこんな解説をしてくれた。

「一般の方が、あの発表を見れば、電通が（開会式の計画・運営事業を）積極的に取りにいったように思うかもしれませんね。なにしろ、JVの筆頭に電通の名前が出てきますから。けれども実は、今回のJVのメインはNEPで、電通や電通ライブはサブにすぎない。

というのも、開会式は、当然のことながら、ＮＨＫによって全国に生中継される。ＮＨＫとしては、開会式の制作や演出、進行を関連会社（ＮＨＫメディアホールディングス傘下の番組制作会社）のＮＥＰにやってもらったほうが、意思疎通もスムースだし、何かと都合がいいわけです。

一方、『開会式の運営』には、ＮＥＰが担当する、ステージ上の演出や進行といった、いわば〝表〟の仕事以外に、〝裏〟の仕事が山ほどある。

万博は国家イベントですから、開会式には、政府関係者はもちろん、皇室関係者もご臨席される。それらＶＩＰ、あるいはスーパーＶＩＰが、開会式当日、万博会場のどこに、何時に到着し、（開会式場までの）導線はどう確保するのか。また、開会式場に到着した後は、誰に、どの順番で、どこに着席していただくか……。そういうことを、警察や、協会の警備担当者と、綿密な打ち合わせを重ねた上で、当日は事故や遅滞なく遂行する――という、失敗の許されない、面倒くさい（笑）作業がある。それらの裏の仕事を担当するのが、電通と電通ライブというわけです」

ならば、なぜ、開会式の演出や進行を担う「メイン」のＮＥＰが、ＪＶの最後尾に名を連ね、裏方の電通が筆頭に据えられているのか。関係者が続ける。

「NEPは民間企業といっても、国民の受信料で支えられている『公共放送』、NHKの関連会社ですからね。

NHKが生中継する開会式の『実施計画の策定や運営』業務を、その関連会社（をメインとしたJV）が受注するのはいかがなものか……との批判は当然出てくる。よって、それらの批判を少しでもかわすため、体裁上、サブの電通を筆頭に持ってきているだけの話で、仮にNEPが博報堂と（JVを）組んでいたら、博報堂が受注していたでしょう。

もっとも、過去の例からして、NEPが、万博レベルのイベントの開会式で、電通以外と組むとは考えにくい。愛知万博（の開会式）でも、NEPと電通がJVを組んでいましたから。

今回の万博の開会式でも、NEPは早い段階から電通と組むと決めていたと思います。（万博）協会側も、NEPや電通の意向を汲んで、（開会式の計画・運営事業の）公募を、電通の指名停止（期間）が終わって、ほとぼりが冷めた時期に設定したんでしょう」

つまり、電通からすれば、今回の「開会式」関連事業は、NEPとJVを組んだ関係上、受託したに過ぎないというわけだ。そして、この関係者によると、電通の、今回の万博に対する消極的な姿勢は今も変わっていないという。

だが、その一方で、同社はすでに〝アフター万博〟を見据え、動き始めているというのである。関係者が再び語る。

「万博から2年後の2027年には横浜で『花博』が開かれるのですが、電通、特に東京本社（東京オフィス）の視線はむしろ、そちらのほうに向いているのです」

その理由については後述するとして、この「横浜花博」について簡単に説明しておこう。

「2027横浜国際園芸博覧会」（GREEN×EXPO2027）は、万博と同様に、国際博覧会条約に基づき開催される「国際園芸家協会（AIPH）」認定の博覧会だ。

神奈川県横浜市瀬谷区と旭区にまたがる、「旧上瀬谷通信施設」（15年に米軍から返還）跡地（242ヘクタールのうち約100ヘクタール）をメイン会場に、27年3月から約6カ月間にわたって開催される予定で、その目的を〈国際的な園芸・造園の振興や花と緑のあふれる暮らし、地域・経済の創造や社会的な課題解決等への貢献〉（公式サイト）としている。

主催者である「公益社団法人2027年国際園芸博覧会協会」の会長は、万博協会と同様に、十倉雅和・経団連会長が務めているのだが、万博と違い、花博の所管官庁は国土交通省と農林水産省となる。このため、事務方トップの事務総長には、国交省OBの河村正人・元内閣官房審議官が就いている。

今回の横浜での開催は、19年のAIPHの年次総会で承認され、22年のBIE総会で、最高位の「A1」の国際園芸博覧会として認定された。

日本でのA1クラスの国際園芸博覧会（BIEの認定博）の開催は、1990年に大阪・鶴見緑地を会場に開かれた「国際花と緑の博覧会（花の万博）」以来、37年ぶりのことだという。前出の電通関係者が続ける。

「もっとも、『A1クラスの国際園芸博覧会』といっても、（BIEの登録博である）万博と比べれば、博覧会としてのグレードはワンランク下（の認定博）で、現時点での想定来場者数も、大阪・関西万博（約2820万人）の約3分の1、約1000万人と見込んでいます。

ところが実は、自民党は、この横浜花博を、大阪（万博）以上の規模で開催しようとしている。もちろん維新との圧倒的な力の差を世間に見せつけるために、です。しかも、花博の所管官庁は国交省と農水省。（万博を所管する）経産省よりはるかに予算を持っている2つの省庁が運営を担う。

電通としては、維新が旗を振る大阪万博より、クライアント政党（自民党）が主導する横浜花博のほうがはるかにコミットしやすく、高い収益率も見込めるわけです。よって、東京本社の関心はすでに横浜花博に移っている。

つまり電通にとって、大阪万博はもはや、開催前から『消化試合』と化し、『過去のもの』となっているんです」

†吉本興業の「地方創生」ビジネス、大阪府・市との蜜月

話の舞台を再び今の大阪に戻そう。

70年万博以降で初めて「電通不在」となった状況下で、万博開催に向けた機運醸成を一手に担ってきた企業がある。ほかでもない。大阪発祥で、今や日本最大の芸能プロダクションとなった吉本興業、正式には「吉本興業ホールディングス株式会社」である。同社の大﨑洋・前会長が現在、「大阪・関西万博催事検討会議」の共同座長を務めるなど、「万博に熱心な吉本」というイメージは強い。

大﨑前会長はダウンタウンを見出した育ての親であり、彼らが一期生だったNSC（吉本総合芸能学院）出身芸人の積極起用、東京進出とキー局への浸透など、現在の体制を確立し、同社を大きく成長させた功労者にして、実力者として知られる。社長就任は200

9年。その3年後の12年に迎えた創業100周年にあたり、未来の経営戦略として「地方創生」「デジタル」「アジア」という3つのテーマを掲げた。

このうち地方創生に関しては、既にその前年から全国47都道府県に「住みます芸人」を派遣し、担当の「エリア社員」を新たに採用。地域活性化ビジネスを進めることで、全国の地方自治体と関係を築き始めていた。民間企業が幅広い行政分野で自治体と協力関係を結ぶ「包括連携協定」にも積極的だった。16年3月の北海道に始まり、福島県、愛知県、和歌山県、そして大阪市、南は沖縄県大宜味村まで、締結先は24年1月時点で全国23自治体を数える。

地方だけではなく、政府・各省庁との関係も深い。14年には、経済産業省と民間企業による官民ファンド「クールジャパン機構（株式会社海外需要開拓支援機構）」から、吉本や電通などで構成するコンソーシアムによる「ジャパン・エンタテイメント・コンテンツの創造・発信事業」に10億円が出資された。さらに18年には、吉本が主導する「大阪城公園でのエンターテインメント発信事業」に対し、12億円が投入されたのだ。その内容がどのようなものであったかは後述する。

吉本が、行政や公共機関相手のビジネスを拡大していく中でも、とりわけ密な関係にあったのが大阪府・市だった。発祥の地という〝地の利〟もあるが、維新首長が旗を振る大阪IRや大阪・関西万博を早くから見越していたからだという。

前出の在阪民放局万博担当者が語る。

「吉本の主導で16年12月、『クールジャパンパーク大阪株式会社』が設立され、在阪民放5社を含む民間13社とクールジャパン機構が出資し、株主となりました。これは大阪城公園内で、主にインバウンド（訪日外国人旅行者）を狙って19年2月に開業した劇場『COOL JAPAN PARK OSAKA』を運営する会社です。

この劇場は、大阪市が15年から進めていたパークマネジメント事業（民間の指定管理業者が公園の再整備や活性化を図る）に合わせただけでなく、将来の万博開催とIR開業を見込んで開設されました。昼間に夢洲の万博やIRを訪れた外国人観光客が、夜は大阪城など市の中心部に来てナイトエンタテインメントを楽しめる施設が欲しいという大阪府・市の意向に応じたものだったのです。

そして17年3月には、万博誘致アンバサダーに吉本のトップタレントであるダウンタウンが就任し、同年11月には大阪市と吉本が包括連携協定を結んだ。これによって両者の関係は一層、強固なものとなりました」

万博招致が決定すると、吉本興業は機運醸成を目的に「チーム関西」協議会を発足させ、自ら旗振り役となる。21年3月時点では関西電力、大阪ガス、JR西日本、パナソニック、サントリーなど関西を代表する14の企業・団体が参加していた。

さらに吉本は22年2月、早々に万博へのパビリオン出展を発表。同年の大型連休にはチーム関西との共催で、70年万博跡地の万博記念公園を会場に「Warai Mirai Fes 2022〜Road to EXPO 2025〜」と題するお笑いや音楽のイベントを開き、3日間で5万人を超す観客を動員した。その後、一般社団法人となったチーム関西には朝日放送、関西テレビ、毎日放送の在阪民放局を含む17社が名を連ね、機運醸成イベントを毎年行っている。

ところが、チーム関西に唯一加わっていない在阪民放局がある。読売テレビだ。23年7月の同局の定例会見で、大橋善光社長は参加見送りの判断をこう語っている。

「私たちは報道機関でもありますので、『報道を制限されるような包括的な団体には入れません』とお断りした」

具体的な理由を問われると、大阪IRを挙げた。

「(チーム関西の説明を受けた時)IRについて書いてあった。IRには場合によっては離反しなければならない。各社の世論調査を見ても賛成・反対が等しい状態。いろいろな問題も出てくると思います。われわれはＩＲを推進する可能性のある団体には、報道を制限される可能性がある以上、賛同できない。万博については精いっぱい報道していくが、場合によっては厳しい事も言っていかなければならない」

万博には協力するが、ＩＲには関わらない——そう宣言したに等しい。

†読売グループがカジノを批判する理由

読売テレビ・大橋社長の発言を、前出の在阪民放万博担当者はこう解説する。

「チーム関西にはテレビ大阪の名前もないのですが、協議会の段階では入っていた。あそこは人繰りも厳しいし、親会社の日経（日本経済新聞大阪本社）が構成社員なので、実質的に参画しているようなもの。読売テレビはそれとは違い、チーム関西が協議会だった当初から一貫して距離を置いています。

大橋社長がもともと〝大の吉本嫌い〟というのもあるのですが、その判断はメディア・報道人としての見識と言っていい。理由はやはり、社長自身が述べたようにＩＲ、はっきり言えばカジノです。大橋社長は読売新聞出身で、東京本社の副社長を経て読売テレビ社長に就いたのですが、その読売は大阪IRに極めて批判的ですから」

実際、政府が大阪府・市のIR整備計画を認定（23年4月14日）した約2週間後、読売新聞はあえて「カジノ」という言葉を使い、「大阪カジノ認定　万博の理念にもそぐわない」とする社説を掲載（同26日付）。〈カジノは、射幸心をあおられた客の負け分で成り立っている。賭博に頼った成長戦略が本当に適切なのか、大いに疑念を抱かざるを得ない〉などと批判した。

その後もギャンブル依存症をはじめ、カジノがはらむ問題を記事で取り上げており、今日に至るまで一貫して大阪IRに対し、厳しい論調で臨んでいる。

そして実は、大橋社長の会見の約2カ月前にも、読売新聞を基幹とする読売グループの大阪IRに対する姿勢を象徴するような出来事が起こっていた。大手紙の大阪府政担当記者が語る。

「23年5月12日のことでした。大阪府政記者会と市政記者クラブに、読売グループの広告会社である読売連合広告社から投げ込み（資料配布）があったのです。

内容は、2月に大阪府・市が行った『大阪IR広報企画運営業務』の公募型プロポーザルで最優秀提案事業者に選ばれたものの、辞退する――というものでした。事実上の受託者を意味する最優秀提案事業者が自ら辞退するなど異例のことでした」

読売連合広告社の配布資料によると、5月2日に最優秀提案事業者に選ばれたことを受け、同月8日に臨時取締役会を開き、契約手続きを進めるか否かを検討したところ、次のような結論に至ったという。

〈カジノを含むIRについてはギャンブル依存症などの懸念が指摘され、住民の間でもなお賛否が分かれている現状にあります。取締役会は、新聞社の関連会社として、そうした観点からの社内検討が不十分であったと判断し、辞退することが妥当である〉

この背景にある事情を、読売新聞の関係者が説明する。

「ヨミレン（読売連合広告社）の辞退は、ヨミレンの臨時取締役会が判断し、読売新聞大阪本社が了承したという形になっています。が、これは明らかに東京のグループ本社の意向を受けたものでした。大阪本社としては既に21年から大阪府と包括連携協定を結んでいたこともあり、当初は問題ないと判断していたようですが、グループ本社の方から『何を考えているんだ』と叱責されたそうです。

グループ本社のカジノに対するアレルギーは相当のものです。そもそも主筆（渡邉恒雄氏）や社長（山口寿一氏）が大のギャンブル嫌いというのもあるのですが、過去に野球賭博問題で世間から猛批判を浴びた経験から、読売グループでは『賭博』はタブーになっているのです。今後の大阪IRの行方や、カジノに対する世論の動向次第では、大阪本社が府との包括連携協定を解消する可能性も出てくるでしょう」

この関係者の言う、野球賭博問題とは、15年から16年にかけてプロ野球界を揺るがせた、読売ジャイアンツの複数の選手が野球賭博に関わっていた事件を指す。ちなみに球団はグループ本社直轄の関連会社である。

問題発覚後の15年11月、球団は日本野球機構の熊﨑勝彦コミッショナー（元東京地検特捜部長）から選手に対する指導・管理が不十分だったとして1000万円の制裁金を課せられた。これを受け読売グループは、球団代表の引責辞任、オーナーと渡邉恒雄特別顧問（当時）を「2カ月間の取締役報酬を全額返上」などとする処分を決定した。

しかし翌16年3月になって、野球賭博に関わった選手が新たに発覚。球団オーナー、会長とともに渡邉顧問も引責辞任するなど、読売グループは大きな傷を負ったのだった。

過去に野球賭博で痛い目に遭った読売が、売り上げの8割をカジノが稼ぎ出す構造になっているIRを容認できないのも無理はない。

†ＩＲにらみで万博を盛り上げる吉本の思惑

だが、読売グループとは対照的に、先行きに大阪ＩＲが見えているからこそ、万博に前のめりになっているのがチーム関西の旗振り役、吉本興業である。同社関係者がその思惑を語る。

「万博の盛り上げは大﨑さんの思いによるところが大きいのですが、会社として貢献できることといえば機運醸成イベントや催事ぐらいしかありません。それも半ばボランティアのようなもので、売り上げにつながるわけではない。けれどもＩＲとなれば、会社の利益に直結しますから」

なぜ、大阪ＩＲが吉本の利益に直結するのか。ＩＲやＭＩＣＥ（国際会議や企業の展示会・研修といったビジネスイベントの総称）に詳しい金融関係者が解説する。

「ＩＲといえば、メディアも世間もすぐにカジノを連想しますが、それでは全体像がぼやけてしまう。確かにＩＲは売り上げの70～80％をカジノのゲーミングでまかなう構図になっていますが、そのゲーミング区域は、ＩＲ整備法などに基づき、ＩＲの総床面積の３％に過ぎません。残りはホテルやレストランをはじめ、劇場などのエンターテインメント施設、ショッピングモール、MICE施設などですが、これらもうまく稼働しないと効率的な集客は見込めない。

カジノ自体は、IR事業者（米MGMリゾーツ・インターナショナルとオリックスのコンソーシアム）である、ゲーミング業者のMGMが運営するので、問題ない。また国内外を問わず、他の業者が参入できる余地はありません。課題はその他、劇場などエンターテインメント施設への集客なのです。

大阪IRの整備計画によると、開業3年目で年間約2000万人の来訪者を見込み、そのうち7割を日本人と想定していますが、アジア、特に中国の富裕層も取り込みたい事業者からすれば、彼らを満足させるエンターテインメントを用意したい。そうなると、日本で、ノンバーバル（言葉を使わない）も含め、特にアジアからの観光客に通用するエンターテインメントを提供できる業者は、吉本興業ぐらいしかないわけです。

このためMGMでは、大阪IRの事業者公募（19年12月）に名乗りを上げる半年以上前から、ジム・ムーレン会長兼CEO（当時）自ら、吉本興業の東京本社を訪れ、吉本の幹部と接触していたそうです」

そもそも、今回の大阪・関西万博が誘致段階から「負の遺産」と化した夢洲の開発、その手段としてのＩＲを前提としたものであることは、他の章でも触れられている通りだ。が、そのＩＲに対する考え方の違いが、万博の機運醸成を担うメディア間の足並みの乱れにつながっているとは、なんとも皮肉な話である。

吉本興業は、その後も大阪府・市および万博への関与を加速させていく。

23年6月には、電通が指名停止期間中であることを奇貨として、それまで長年にわたって同社が受注してきた「大阪マラソン」の企画と大会運営を大手旅行代理店ＪＴＢグループなどとのコンソーシアムで受託（25年度までの3カ年）。また同月には「大阪文化芸術祭事業」の企画・運営も、同じくＪＴＢとのコンソーシアムで請け負っている。この芸術祭は、25年の万博に向け、アーティストや文化芸術団体の活躍の場を広げることを目的に、23年から3年にわたって開催される機運醸成イベントだ。

こうしたイベントを仕事として請け負うだけでなく、「人」も万博協会へ出し始める。長らく同社に君臨した大﨑洋会長は23年4月に退任し、代表権も返上。6月に取締役からも退くと、前述の通り、「大阪・関西万博催事検討会議」の共同座長に就任した。続いて吉本から幹部クラスの社員2人が万博協会催事局（現在は広報・プロモーション局）に出向し、大﨑氏の活動を側面から支える体制を整えた。

前出の在阪民放の万博担当者が再び語る。

「吉本の2人が万博協会に入ってようやく、催事、特に『メディア催事』（テレビ局などが催す機運醸成イベント）は一気に話が動くようになりました。それまではＮＥＰから来られた方が担当していたんですけど、いかんせん、イベントごとについては素人だったので。私たち放送局に対するアプローチもイマイチでした。

その点、吉本の2人は放送局と話が通じるというか、早いというか。実に吉本らしいアプローチで（笑）大阪だろうが東京だろうが放送局、しかも（中枢部署の）編成に直接、ほぼアポ無しで乗り込んで話をつけてくる。それで編成から万博担当に話が下りてくるという流れで、私たちとしては面食らいますが、協会としてはめちゃ助かっているんじゃないですか」

開幕まで1年となった24年4月、万博協会は、会期中に企業や自治体などが実施する万博関連イベント116件を発表。続いて、テレビ局などが主催するメディア催事も発表された。

†「大﨑体制見直し」と「松本スキャンダル」

万博とメディアについて、ここまで述べてきた流れを整理すると、次のようになる。

企画運営の中心となるはずだった電通が東京五輪談合事件で不在あるいは消極姿勢に↓代わりに、大阪IRをにらむ吉本興業が機運醸成イベントや催事の旗振り役に↓在阪民放はそれに歩調を合わせるも、読売テレビはIRに批判的なグループの意向で距離を置く。

このまま行けば2025年大阪・関西万博は、地元発祥の吉本が仕切り、吉本に依存する「吉本万博」になったかもしれない。愛知万博が「トヨタ万博」と呼ばれたように。

ところが、だ。ここへ来て、吉本興業の動きに急ブレーキがかかったという。前出の同社関係者が語る。

「要因は2つ。大﨑さんが催事検討会議の共同座長に就任したことと、松本人志のスキャンダルです。

大﨑さんは、自分が吉本に籍を置いたまま催事会議の座長になれば、会社が万博関連の仕事を受けにくくなるだろうと、ケジメをつける意味であえて退社されたんですが、世間はそう見てくれなかった。これまでの大阪府・市との関係もあって、吉本が万博や府・市の仕事に関わるたびに、メディアからも世間からも（大﨑氏を介した）『利益誘導ではないか』と色眼鏡で見られるようになったのです。

このため大﨑さんの退社から数カ月後には、岡本（昭彦）社長ら幹部の間で『大﨑さんを守るためにも、会社を守るためにも、万博や大阪府・市とは距離を置こう』という方針が固まったんです。そして、その方針が決定的になったのが昨年末の松本スキャンダルでした」

松本スキャンダルとは言うまでもなく、23年12月27日発売の「週刊文春」によるスクープだ。ダウンタウンの松本人志が複数の女性に対し、性的行為を強要したとする疑惑を、被害者の証言などを基に報じた。以降も、後輩芸人が長年、松本のために一般女性を集め、性的関係を要求する会合をセットしてきた——などとする続報を複数号にわたって掲載した。その松本が、相方の浜田雅功とともに誘致段階から万博のアンバサダーを務めていたのは前述の通りである。

吉本興業は、文春の初報掲載号が発売された27日段階ではホームページ上で〈当該事実は一切なく（中略）今後、法的措置を検討していく予定です〉としていた。ところが約1カ月後の24年1月24日、同じホームページで次のように発表したのだ。

〈今般、私的行為とはいえ、当社所属タレントらがかかわったとされる会合に参加された複数の女性が精神的苦痛を被っていたとされる旨の記事に接し、当社としては、真摯に対応すべき問題であると認識しております。(中略) 現在、当社におきましては、コンプライアンスアドバイザーの助言などを受けながら、外部弁護士を交えて当事者を含む関係者に聞き取り調査を行い、事実確認を進めているところです〉

わずか1カ月の間に、文春報道への対応を180度転換させたのである。

吉本のこの方針転換については後述するが、当の松本は性加害疑惑を事実無根とし、裁判に注力することを理由に芸能活動の当面休止を発表。これに伴い、誘致段階から約7年にわたってコンビで務めていた万博アンバサダーの活動も休止となった。

そして松本は、版元の「文藝春秋」と週刊文春編集長に対し、名誉を傷つけられたとして、5億5000万円の損害賠償と訂正記事の掲載を求め東京地裁に提訴。3月28日に第一回口頭弁論が開かれた。前出の吉本興業関係者が一連の経緯をこう振り返る。

「当初のコメントが〈当該事実は一切なく〉〈法的措置を検討〉と強硬なものになったのは、第一に松本さん自身が全面否定したこと。第二には、所属タレントはとにかく守るという芸能プロ特有の体質が、脊髄反射的に出たんだと思います。

しかし、あのコメントを出した直後、社のガバナンス委員会のメンバーでもある社外取締役の複数の弁護士から、『まず事実確認をしっかり行った上でコメントを出すべきだった』『当該事実は一切なく、とは何を指すのか不明確で世間の誤解や混乱を招く』などの指摘が相次いだのです。それを受け、可能な限りの事実確認を行った上で、あらためて出したのが1月24日付のコメントでした。

文春との裁判が松本さんの個人訴訟となったのも、もし松本さんが敗訴した場合、吉本は松本さんに損害を与えられたという立場になるので、会社として訴訟を起こすことができなかったからです」

この関係者によると、吉本興業では、大﨑前会長退社後の23年7月以降、それまでの地方重視の姿勢や官公庁との関係強化、公共事業の精力的な受注など、いわゆる「大﨑体制」の見直しが始まったという。大﨑氏が社長に就任した09年から開かれてきた「沖縄国際映画祭」からの撤退、14年から始まった「京都国際映画祭」の終了はその最たる例だろう。吉本関係者が続ける。

「それと同時に、社外取締役の弁護士を中心としたガバナンス委員会が設置され、それ以降、役員会においても社外取締役弁護士の発言力が大きくなったと聞いています。

万博や大阪府・市に会社が距離を置き始めた背景には、こうした社内事情があるのですが、それが松本さんのスキャンダルで決定的になった。結果的に、万博の機運醸成に水を差すようなことになり、心苦しい限りです。

もちろんパビリオン（吉本興業が出展予定の『よしもとｗａｒａｉ　ｍｙｒａｉ館』）は最後まで責任を持ってやらせていただきますが、それ以外の公募などには一切参加しないという方針が役員会で決定しました」

†吉本も万博から「完全撤退」

私が吉本興業関係者から以上の話を聞いたのは、24年3月末のことだった。その約1カ月後の4月24日、同社は〈コーポレートガバナンスの強化等について〉という声明をホームページで発表。その中で〈２０２５年日本国際博覧会（大阪・関西万博）への取組み〉として、次のように述べた。

〈当社発祥の地でもある大阪・関西での万博の開催まで残り1年を切り、当社は、企業パビリオン「よしもとｗａｒａｉ　ｍｙｒａｉ館」での出展に向けた作業を鋭意進めているところです。（中略）なお、当社は、大阪・関西万博の開催・運営における中立性や公正性を害することがないよう、日本国際博覧会協会による公募案件を含め同協会が発注する事業は受託しないことを既に取締役会において決定していることを申し添えます〉

前出の吉本興業関係者が補足する。

「もちろん、機運醸成のイベントなどで所属タレントにオファーがあれば、当然のことながら、マネージメント会社としてお受けします。ウチは芸能プロダクションですから。あのコメントは、『会社として』は今後一切、万博関連事業には関わりませんという意味です」

そして、この関係者によると、吉本興業は今後、万博だけでなく、大阪府・市の関連事業も新たに受託しない方針を固めたという。さらには、これまで積極的に受注してきた国や地方自治体の仕事からも手を引く方向だというのだ。

「以前から国の省庁や、大阪府・市をはじめ自治体のPRの仕事を受けるたびに、メディアやSNSで『税金を食いモノにしている』などと誹謗中傷を散々浴びてきました。しかし、会社全体の売り上げから見れば、公の仕事で得られる割合は数％に過ぎません。

お笑いの会社でも、少しぐらいは社会のお役に立ちたいと、公の仕事を、しかも公募など正規の手続きを踏んで受けているにもかかわらず、あることないこと言われるなら、いっそ手を引いて原点に立ち返り、劇場の仕事に注力しよう――というのが今の会社の考え方。つまり地元企業として大阪府・市や万博に貢献するよりも、レピュテーションリスクの回避を選んだわけです」

電通と吉本興業を万博から事実上撤退させたのは、きっかけの事案に違いはあるものの、「コンプライアンスの徹底」と「レピュテーションリスクの回避」だったことは共通している。

こうして電通に次いで吉本興業という強力な担い手を失った大阪・関西万博。今後、「万博に関心がある」という人が増え、「機運が盛り上がる」日は来るのだろうか。残念ながら大阪府・市の万博推進局関係者は悲観的だ。

「電通や吉本というPRやイベント、エンタメのプロが抜けたのは、機運醸成でも、催事の面からしても大打撃です。博報堂やADK、大広など大手・中堅の広告代理店が軒並み指名停止になったのも痛かった。

そもそも、これだけ大きなイベントを大手広告代理店以外に、どこが受けられるんですか？　さすがに発注側（万博協会や大阪府・市）も、実績のない中小の広告会社やイベント会社には怖くて任せられませんよ。

そのうえ、頼みの吉本までが万博から（パビリオン出展を除き）完全撤退。今やバンバン万博事業を受けているのはＪＴＢぐらいでしょう。運営側からプロが去り、素人ばかりが残った……というのが今の万博の現状、いや惨状です」

だから催事も〝素人集団〟の万博協会と大阪府・市で埋めざるを得ない。万博協会が24年4月に発表した116の催事のほとんどが、政府の各省庁や自治体、企業、団体の主催なのだという。

「参加国が、それぞれの芸術や舞台パフォーマンスを見せるナショナルデーなんかは別として、その他に『これは見たい』『ワクワクする』と思うものがありますか？

催事局なんか、大阪ウィーク（会期中に3回ある大阪府・市などが主催のイベント）にＥＸＰＯアリーナ（会場内の屋外イベント広場）で、岸和田のだんじり祭を再現しようと考えているみたいです。でも、だんじりって1台4トンあるんですよ。祭ではそれが34台出る。そんなのがアリーナに集まったら、人工芝でも1日でアウトになる。

一事が万事、そんな調子です。そもそもの問題は、協会が『入場券とは別に（イベントの）チケット代は取らない』と決めていること。そんなことで集客が見込める催事ができるわけがないし、アーティストにも失礼な話です。

例えば、観客1万人の野外フェスをEXPOアリーナで開くとしましょう。まともなアーティストを呼んで来るとなれば、最低でも1億円の諸経費はかかりますよ。お客さんからお金取らないとなったら、誰が出してくれるんですか？　アーティスト側に『タダで出てくれ』って言うんですか？

そういう無茶な話を、アーティストサイドと交渉し、別の仕事で埋め合わせするなり、バーターするなり、調整してくれるのが大手広告代理店だったんです。あるいは、吉本やったら、そんな無茶な話でも『大阪のためやったら』と聞いてくれたでしょう。その両方がいないわけです」

大阪府・市の万博推進局関係者のボヤキは止まらない。機運醸成どころか、聞けば聞くほど、絶望的な状況に思えてくる。

†万博協会の失敗は「人事」と「財務」

ボヤキはさらに続き、万博協会幹部へと及んだ。

「これまでの万博準備がうまく行ってない最大の原因は、有能な司令塔がおらんこと。これに尽きますわ。つまりは石毛（博行）事務総長が元凶です」

石毛氏は1974年入省の元経産官僚。将来の事務次官ポストといわれる中小企業庁長官や経済産業審議官などを歴任し、2011年から日本貿易振興機構（ジェトロ）理事長に就いていたが、万博の大阪開催が決まった後の19年から万博協会の事務総長を務めている。

「まず、事務総長という事務方トップであるにもかかわらず、現場の大阪にほとんどいない。よって現場の職員はすぐに決裁がもらえないので物事が進まない。確たる方針を示さず、判断は現場任せ。しかも、現場の決定が気に食わなかったらひっくり返す。おまけに責任は取らない。さらには『お前ら（大阪府・市）が万博をやりたいと言うからやったってる』という態度がありありで、次官級だったことを鼻にかけ、他の経産官僚まで馬鹿にする……。

あまりに現場の評判が悪いので、大阪府・市や大阪財界の偉いさん方が、数年前から複数回にわたって、政府や中央政界に『石毛を外してくれ』とお願いしたそうですが、ダメでした。大阪府・市だけでなく、経産省から万博協会に出向している連中も、『前田さんの方がよっぽどよかった……』ってみんな言うてますよ」

ここで名前が出た「前田さん」とは、石毛氏と同じく元経産官僚の前田泰宏氏のことだ。

若い頃から将来の事務次官候補と目され、大臣官房審議官や中小企業庁長官を歴任したが、中小企業庁長官在任中の20年6月、「文春砲」の直撃を受けた。「週刊文春」が報じた記事は以下のような内容だった。

前田氏が大臣官房審議官時代の17年、米テキサス州で毎年3月に開催される、音楽祭や映画祭、インタラクティブフェスティバルなどを組み合わせた世界最大級のイノベーションイベント「サウス・バイ・サウスウエスト（SXSW）」を公務で視察した。その際に宿泊した会場近くのアパートを自ら「前田ハウス」と名付け、私的なパーティーを開いたところ、そこに経産省の事業を請け負う「サービスデザイン推進協議会」理事で、元電通の社員が出席していた――。

癒着や便宜供与が疑われる両者の関係性に疑義を呈したこの記事によって、前田氏は失脚し、翌21年7月1日付で万博協会の副事務総長に就任。しかし、わずか1年で退任したのである。前出の大阪府・市万博推進局関係者が続ける。

「退任の理由は『協会職員へのパワハラ』だとか、『本人が協会に嫌気がさした』など様々言われていますが、本当のところは分かりません。ただ、前田さんが万博のために精力的に動いていたことは事実で、就任早々、大阪の各現場に自ら足を運び、現場の声も聞いてくれた。

今どきの官僚には珍しく豪放磊落なタイプで、イベントやエンタメにも精通していた。それは、失脚の原因となったSXSWを視察していたことでも分かります。前田さんが万博協会に残っていたら、状況はだいぶん違ったかもしれません」

万博協会の失敗の最大原因は「人事」にありという指摘だが、この府・市関係者は、もう一つの原因を「財務」だと言い、次のように指摘する。

「今でも信じられへんのですけど、開催決定から5年以上も協会にCFO（最高財務責任者）がいなかったこと。（24年）3月に入ってようやく、財務省出身の小野（平八郎・元総括審議官）さんという方がCFOに就きましたが、これまで不在だったのが、僕ら役所の感覚では理解できないんです。

協会にも、事業を計画する企画局、会場施設を担当する整備局といろいろあって、予算はそれぞれの局に割り当てられるんですが、それぞれの局が、自分のところに下りてきた予算を目いっぱい使おうって思うのは当たり前でしょ。みんな、ええもん作りたいんやから。

でも組織全体としては、それではアカンのです。やっぱり『予算つけ過ぎた』というところもあるし、逆に『足りん』というところもある。例えば、催事を受け持っている広報・プロモーション局は最近まで、予算が極端に足りてなかったと聞いてます。

それら全体を俯瞰し、チェックして、予算をつけ過ぎた局から足りない局へ回す差配をするのが財務責任者の仕事でしょ。だから役所でも、企業でも必ず（CFOを）置いてますやん。それを、今日に至るまで置いてなかったっていうんやから……」

例えば、大きな批判が巻き起こったリング（大屋根）も、そのせいで建設費が膨らんだのだという。

「誘致段階の計画では、屋根は180億円で作れるという話でしたけど、『輪っかの形にせえ』『木造に変えろ』と建築家に言われるがままに、一気に350億。そりゃ建築家はそない言いますわ、アーティストなんやから。けど、それをそのまま聞いてどないすんねん？という話です。

こういうことをチェックして、ハネるんがCFOの役割でしょ。それを初めから置いてないんやから、そりゃ経費も膨らみますわ。全体の予算、支出、財政状況をチェックする人間がおらんのやから。1250億が2350億に倍増するのも当然です」

では、CFOを置いた今後は予算が引き締められるのだろうか。聞けば、深いため息とともに、やはりボヤキが返ってきた。

「いや、今さらCFO置いても、ほとんどの発注は終わってますし、それこそ『後の祭り』っていう話ですけど……。まあ、いつまでもボヤいててもしょうがないんで、私は私で自分の仕事を粛々とやるだけですけどね」

この大阪府・市の万博推進局関係者のボヤキを伺った約3カ月後、開幕まで290日となった6月27日の定例理事会で、万博協会事務局は、開幕に向け、抜本的な組織改変を行う方針を報告した。

今回の万博協会が設立された19年以降、協会事務局は、前述の石毛事務総長の下に、5人の副事務総長を配し、それらの副事務総長が所管する12局（室）を設置。さらに、その下に20部52課（室）が置かれ、各部課の長が、それぞれの上長に決裁を仰ぐという、ピラミッド（階層）型の構造になっていた。

これを、夢洲の万博会場に、協会が入居する「管理棟」が完成する今年10月をめどに、12局（館）を横並びにしたフラットな組織に改変し、すべての部課を廃止。〈局長レベルで責任を持って判断する〉〈迅速な対応が可能な体制〉（定例理事会資料）を整えるというのだ。

協会事務局は、今回の組織改変の趣旨を〈万博会期中は、184日間、(中略)責任をもって判断・運営できる体制と、日々発生する様々な事象に対し即時に対応できる体制が求められる〉ため(同前)と、あくまで〈会期中〉に備えたものだとしている。

また、協会事務局関係者も、「組織をフラットな形にしたのは、『運営型』にするためで、愛知万博でも開幕前、同様の組織改変を行っており、協会としては既定路線」と言う。だが、一方で、実際に万博に参画している、ある民間企業の万博担当者は冷ややかにこう語る。

「協会に対しては以前から、パビリオン出展以外にも、様々な万博関連事業にかかわる企業の間から『意思決定のスピードが遅く、(ピラミッド型に加え)縦割り組織のため、部局間の連携や情報共有ができていない』との不満の声があがっていました。

今回の組織改変は、これら外部からの不満や批判を受けてのものでしょうが、それ(組織改変)自体が遅すぎた。本番ギリギリの段階で、体制を変えるって、〝悪しき組織〟の典型ですよね。

『いまさら組織をいじくるより、いまだに続く協会と、大阪府・市のギクシャクした関係を正常化するほうが、先なんじゃないですか』と、民間の立場からはそう思います」

†「哲学」のない万博に成功はあるか

開催まで1年を切っても、国（経産省）と大阪府・市との不協和音は収まらないようだが、本稿を執筆するに際し、最後に取材したベテランイベントプロデューサーの話を紹介しておきたい。今回の大阪・関西万博について、より根本的な問題を、彼は指摘しているからだ。

少年時代に体験した70年万博に衝撃を受けたという彼は、前述の90年の「大阪花博」や05年の愛知万博など国内の博覧会だけでなく、海外で開催された様々な国際博に「作り手」として関わってきたという。そのプロデューサーが語る。

「電通や博報堂などの広告代理店が一時期、（指名停止で）万博の運営に関われなかった影響が大きいのは間違いないでしょう。

博覧会を公共事業、大手広告代理店をゼネコンに置き換えると分かりやすいのですが、大規模な公共事業は、国や自治体などの施主からスーパーゼネコンが受注する。ゼネコンは、施主から様々な意向を聞き、設計やデザインを行い、実際の工事はサブコン（下請け業者）に発注する。その代わり、全工程に責任を負う。サブコンの手配はもちろん、下請け業者間の業務や利害の調整から、様々な金の立て替えまで、全体の工事の流れと安全を管理する。そして、その報酬として事業全体の管理費マージンを取る。

博覧会における広告代理店の役割は、これとほぼ同じなのですが、公共工事におけるゼネコンのシステムは批判されないのに、東京オリンピックでは、これとほぼ同じ代理店のシステムが批判されただけでなく、刑事事件になり、逮捕者まで出てしまった。代理店が、これからは国や行政の主催する大規模イベントから手を引こうと考えるのも当たり前の話だと思います。

70年万博や愛知万博など過去の国際博覧会の知見、というより、知的財産が政府や万博協会ではなく、代理店をはじめ、乃村工藝社やDNP（大日本印刷）など実績ある受注業者側に蓄えられているという構造も事実です。

もっとも、代理店に過去の知見があるといっても、70年万博に新卒で関わっていた人でも77歳で、現役にはおられない。同様に、90年の大阪花博当時の新卒者は57歳、05年の愛知万博当時の新卒者でも42歳。つまり、代理店にも過去の万博経験者はほぼ残っていないというのが現実です。

それでも過去の知見、特に失敗から学ぶことは基本だと思うのですが、私の知る限り、現在の万博協会の役職員の中で、愛知万博時代の先輩役職員に教えを乞いに行った人は、残念ながらいません」

過去に学ぶ姿勢がないという指摘だが、このプロデューサーは「でも、今回の万博の問題は、そんな瑣末なことではない」と言う。では、何か。

「最大の問題は『哲学がない』ことです。ウクライナやパレスチナで戦争が起こり、アメリカでは分断が急速に進んでいる世界の状況において、『今、何が必要で、何のために開催するのか』という哲学が何もない。

ないのは、哲学だけではありません。日本や地域社会が今後進むべき『ビジョン』や『グランドデザイン』もなければ、未来の子どもたちに残すべき『レガシー』もない。だから、開幕まで1年を切った今も、誰も、今回の万博が目指すもの、その全体像を説明することができない。

70年万博では、小松左京や梅棹忠夫、加藤秀俊ら知識人が侃侃諤諤の議論を重ね、基本理念を練り上げ、『人類の進歩と調和』というテーマを生み出した。

05年の愛知万博では、開催が決まる9年前（1988年）から誘致活動を始め、その間、環境保護団体から激しい反対を受けながら、『自然の叡智』というテーマを設定した。97

年に開催が決まってからも、（会場予定地にオオタカの営巣が発見されたことなどによって）BIEから計画の全面見直しを求められるなど、多くの困難に直面した。それでも、さらに8年の歳月をかけて、今日のSDGsに通じる『自然との共存』というコンセプトを練り上げていった。

ひるがえって、今回の大阪・関西万博はどうか。夢洲の開発ありき、IRありきで誘致が始まったことはもはや誰の目にも明らかで、そこには『なぜ、今、日本で万博を開くのか。その意義は何か』という哲学など存在しない。

それは、誘致段階で大阪府・市案のテーマだった『人類の健康・長寿への挑戦』が、政府の有識者検討会から複数の指摘を受け、あっさりと『いのち輝く未来社会のデザイン』に変更されたことでも明らかです。さらには、開催が決まってから今日までの約5年間に、テーマに沿った基本理念やコンセプトが練られた形跡も見られない。

哲学も、未来へのビジョンも、コンセプトもない。限られた人たち、限られた地域の利益のために催されるような博覧会に、国民の共感など得られるはずもなく、関心が低いのも当たり前の話です」

プロデューサーの指摘はいちいちもっともだ。が、最後に彼は「ただし……」とこう付け加えるのだった。

「私は40年以上にわたって国内外の様々な博覧会に携わってきましたが、その経験上、博覧会というものは『始まらないと盛り上がらない』というのも事実です。そして万博のようなメガイベントでは、どれだけ万全の警備・警戒体制を敷いていても不測の事態が起こりうる。

例えば、70年万博では『アイジャック事件』が起こり、90年の花博では開幕からわずか2日目に『ウォーターライド転落事故』があった」

アイジャック事件とは、70年万博の開幕から約1カ月後の4月26日、太陽の塔の右目部分（直径2m）に男が登り、「万国博覧会中止」などを訴えるアジ演説を行った末、約1週間にわたって籠城した事件だ。

また花博では、開幕2日目の90年4月2日、水力を使って会場内を遊覧する「ウォーターライド」が高架水路（高さ7m）から転落。乗客、コンパニオンら24人が重軽傷を負った。

「ところが皮肉なことに、70年万博でも、花博でも、それらの事件、事故がテレビの全国中継で報じられたことが最大の〝宣伝〟となり、その後、来場者が一気に増えたんです。

無論、アクシデントや不測の事態を期待しているわけでは決してありません。が、万博という巨大イベントには〝魔物〟が棲んでいるということなんです。よって、今回の万博が失敗か否か、は終わってから判断されてもいいんじゃないでしょうか」

開催前から「失敗」続きの大阪・関西万博が今後どう〝化ける〟のか、あるいは失敗のまま終わり、日本の博覧会史上に汚点を残すのか――。

私としては懐疑的にならざるを得ないが、ベテランプロデューサーの助言に従い、開催終了まで見届けることにしよう。

第4章

検証「経済効果3兆円」の実態と問題点——万博と経済

吉弘憲介

†万博コスト増への反論で持ち出される「経済効果」

「コストの話がよく出るんですけれども、経済効果もあって、経済効果は2兆4000億円から2兆8000億円と言われています。多くの人が来て、万博会場だけじゃなくいろんなものを買ったりというのもあります。経済効果も非常に大きいですから、そういった意味で、僕はこの投資をする十分な価値があると思っています。」

2023年12月27日の関西テレビ「newsランナー」に出演した吉村洋文・大阪府知事は、大阪・関西万博の費用膨張について問われ、このように万博の「経済効果」を強調していた。

年が明けて24年1月24日には、会場周辺の関連イベント等も含めた「拡張万博」の効果額は最大3兆3667億円に達すると発表された。試算した「一般財団法人アジア太平洋研究所（APIR）」によれば、物価上昇による会場建設費の増加に加え、訪日外国人客の消費額が拡大基調にあることを踏まえた上方修正だという。

万博のコスト増加批判への反論として経済効果を持ち出すのは吉村知事にとどまらない。大阪市議会では、万博への市民1人あたりの負担額を約2万7000円とした試算に対し、大阪維新の会の武智博幸市議が「経済効果についても聞きたい」と質問した。市側は、府域での経済効果を府人口約880万人で割ると1人あたり23万8600円になると答弁した。これについて横山英幸市長は牽制気味に「（万博の費用や利益を）1人あたりに換算して市民の不安をいたずらにあおるべきではない」とコメントしている（朝日新聞2024年3月12日）。

また、大阪維新の会の創設者であり、首長時代に万博誘致を積極的に進めた松井一郎氏と橋下徹氏は、24年1月に公開されたYouTube番組の対談で「万博の開催意義は経済効果だけではない」「お金の問題じゃない」という趣旨の発言を行っている。

大阪維新の会は、大阪・関西万博の誘致を二重行政の解消と維新の会による政策運営の成果として喧伝してきた（吉村・松井・上山2020、130―133頁）。しかし、建設予定地の夢洲《ゆめしま》が埋立地であるがゆえの地盤や地中ガスの問題、また島までの経路が限定されることから生じるアクセス性など、複数の課題が指摘されている。参加国が独自に建設するタイプAパビリオンの数は当初60が建設される見通しであったものが、40程度にまで減少する懸念も出てきている（読売新聞2024年4月14日）。

こうした課題が示される中、冒頭で触れたように、万博による経済効果は、たびたび開催の是非を巡る文脈の中で引用されてきた。しかし、経済効果の大きさは、果たして大阪・関西万博を含め、税金を使った巨大イベントを実施する場合の「錦の御旗」になりえるのであろうか。

また、3兆円を超えるとされる試算内容の根拠や、この計算が持つ問題はないのであろうか。本章では、大阪・関西万博の経済効果について、その概念や計算根拠における課題、過去の事例に基づく問題などを包括的に扱い、万博を巡る経済効果の文脈を解剖していくこととしたい。

†そもそも経済波及効果とは何か――短期と中長期の二面から

経済学の教科書では、官民含めて行われる様々な事業によって生じる経済効果は短期と中長期の二つの種類に分類される。事業実施のタイミングで生じる建設や消費、運営、その雇用が生まれたことによる給与の上昇、家庭の消費の増加など一時的な効果が短期、事業が実施された後に残るインフラによってもたらされる効果が中長期的な経済効果であるとされる（林宜嗣2018、218―219頁）。

本章では、大阪・関西万博について、短期的な効果である「経済波及効果」と、メガイベントによってもたらされる中長期的な効果である「正の外部性」の二つの経済効果について、その概念や評価方法、万博で語られる文脈の問題点について考察していく。

経済効果を考えることは、短期・長期いずれも、マクロ経済学という学問体系の内容となる。マクロ経済学とは、個々人の行う経済行為の結果が国の景気や金融部門にどのように影響をもたらすのかを分析する学問である。

短期的な経済効果（経済波及効果）は、国内の経済活動に対して、一時的に行われた生産や配分、あるいは課税といった経済活動が、ＧＤＰなど国内経済の総量にどのような影響を及ぼすのかを明らかにするための手法として開発された。

経済波及効果を考える上で基礎的なアイディアとなる産業連関表を開発したW・レオンチェフ（1906―1999）は、国内の産業における経済循環を実証的に明らかにする手法として、ある産業の生産がどのように国内の他の産業や雇用、所得へと波及し国民経済を決定するのかを明らかにしようとした。この考え方は、産業政策や経済政策、そして本章で論点に挙げる巨大なプロジェクトを実施する場合に、その計画が与える影響を事前に予測すること、また事後的に検証することを可能にする。後述するAPIRが試算した大阪・関西万博の3兆円を超す経済効果も、このレオンチェフにより考案された産業連関分析というツールを用いて計算されている。

先述した通り、経済効果には経済波及効果のように短期で生じるものと、長期に影響を与えるものが存在する。たとえば、公的教育のような目に見えない投資でも、短期的には教育によって雇用される人や学校建築によって生じる投資、教育として支出される様々な消耗品の調達費用が存在し、短期的な経済効果としてそれぞれの経済波及効果を計算することができる。

しかし、教育は一時的に支出されたものだけでなく、教育を受けた人びとの識字率や計算能力、その他様々なリテラシーの向上を通じて社会に他の波及効果をもたらす。文字が読めるようになる人が増えれば、口頭でなく文字によってコミュニケーションが可能となり、様々な物事のコストが下がる。また、複雑な意思疎通が図れるようになるため、より高度な生産活動を行うことも可能になる。教育によって消費された内容は蓄積され、その教育によって能力が向上した人びとが相互につながることによって社会全体に利益をもたらすのである。これを経済学では外部性、ここでの文脈でいえば「正の外部性」と呼ぶ。

近年、オリンピックなどのメガイベントで言及される「レガシー効果（legacies）」は、経済学においては外部性に近い概念といえるだろう。たとえば、目に見えないものでも、国内のメガイベントを境に人びとの習慣や行動を変更するルールや技術的蓄積が生じることは、レガシーと呼ばれることもある。これらは、広義には正の外部性の一つと理解できるため、本章では中長期の経済効果について経済学の外部性の議論を前提に整理することとしたい。

†短期効果と中長期効果、それぞれの問題点

万博のような巨大な官民の投資プロジェクトを税金で行う場合、短期・長期の経済効果

に関係してどのような問題があるのだろうか。

経済波及効果の詳しい仕組みについては後述するが、波及段階の計算は性質上、イベントに関係して使われるお金の額が決まればほとんど自動的に求められる。また、計算プロセスで何らかの恣意性が入り込む余地は限定的である。しかし、最初にどのようなお金がどれだけ使われるのかという計算には慎重な判断が求められる。

また、経済波及効果の大きさは、その支出内容が他の基準に照らして正しいものなのか、あるいは、他のプロジェクトと比較してより良いものなのかを示す根拠にはならない。極論すれば、戦争のように人間にとって望ましくない活動でも、経済波及効果は生じる。

また、計算プロセスが自動的なので、同規模の別内容のプロジェクトに支出をしても同じだけの経済波及効果が計上されることになる。あるいは、事業内容によっては他のプロジェクトのほうがより多くの経済波及効果をもたらす場合もありえる。大阪・関西万博の経済波及効果は、同じ額の投資計画を比較するために準備されたものではないので、今回の3兆円超という波及効果が万博の事業的正当性を担保しているわけではないと言える。

その他、経済波及効果の計算にまつわる問題点については、後の本計算の手法に関する説明において改めて解説しよう。

中長期的な経済効果については、ある意味で判断が難しい領域でもある。たとえば、1964年の東京オリンピックや1970年の大阪万博が、新幹線の敷設や交通網の整備、北摂地域の経済的発展に寄与したという正の外部性が指摘できる。2020年東京オリンピック（21年開催）でもレガシー効果に関する試算が行われており、街の国際化などによる経済効果の試算が出されている。しかし、外部経済は効果が事後的に観察されるものであるため、その発生を当初から織り込んで示すことは簡単ではない。

64年東京オリンピックの際に普及したとされるピクトグラムという表現方法は、その後も世界的に利用が進んだことをもって成功事例、つまりレガシーとされている。しかし、たとえばオリンピックのキャラクターがその後も定着して利用されるような正の外部性が、すべてのオリンピックで等しく生じていないことを思い起こせば、正の外部性の発生を事前に予測して計算する難しさがわかるだろう。確実な外部経済、必ず生じるレガシー効果を求めることは「打率10割の選手を雇用すれば野球に勝てる」と言っているようなものである。

こうして考えると、外部効果を前提にした計画作りそのものが、本来計画の正当性を得るために恣意的に利用される懸念は小さくない。たとえ短期的経済効果では赤字のイベントであっても、長期的な外部効果を折り込めば全体には利益をもたらすという効果検証も可能になる。

ただし、公的資金を用いたイベントは、民間経済では行わない外部効果を前提に考察されるものであるため、短期の経済効果だけでなく中長期の価値を見通すべきであるとの指摘には、財政学や政策科学からみて一定の正当性はある。しかし、大阪において、しかも大阪維新の会という特定の地域政党（政治団体）がこの成果を喧伝しながら行うところに、万博の中長期的な経済効果が抱えるもう一つの困難が横たわっている。それは、維新の会が行ってきた財政運営や経済政策と必ずしも無関係ではない。

以上、短期と長期、両面の経済効果と今回の万博における二つの経済効果の問題点を概括した。続いて、短期の経済効果である産業連関分析を通じた経済波及効果の説明と、大阪万博における計画に関する問題点を整理していくこととしたい。

†経済波及効果を計算する三つのステップ

ここでは事業の短期の経済効果を測るために用いられる、産業連関表を用いた経済波及効果を説明していく。

経済波及効果を計算するためには、三つのステップが存在する。

最初に、イベントに伴って生じる新たな消費や投資の額を計算する。たとえば直近のメガイベントである2020年東京オリンピックでは、大会を開催するうえで整備された会場、選手村、会場運営にかかる費用、大会を見学するために訪れる人たちが使う交通費や宿泊費、お土産代など諸々がこの新規の額として計上されることになる。この需要の増加額に対して、国内や特定地域において発生するものを区別するため、自給率を乗ずる。こうして得られた数字が「直接効果」である。

この直接効果の額の消費が、建設業や宿泊業、サービス業、製造業などそれぞれの産業から供給されることで、新たな生産活動が生じる。これを第一次間接波及効果と呼ぶ。直接効果と第一次間接波及効果を合わせたものが「第一次波及効果」である。

さらに、第一次波及効果によって生まれた雇用者所得から、一定の消費が増加することで需要増が新たな生産を誘発する。この第一次波及効果の雇用者所得分から生じた需要増によって誘発される生産増加を第二次波及効果と呼ぶ。

この第一次波及効果、第二次波及効果を合計したものが「総合効果」である。新聞報道等で用いられる経済効果数兆円などの場合の数字は、この総合効果を指していることが多い。

ここまで短期的な経済効果を測るうえで、最も利用される産業連関表を用いた経済波及効果の概要を示した。第一次波及効果と第二次波及効果は、産業連関表や自給率、雇用者所得のうちどれだけが消費に回るかを決定する消費転換係数等の数値が決まっていれば、自動的に計算される。そのため、波及効果を測定する部分では、何らかの恣意性が発揮される可能性は乏しい。

ただし、第一次波及効果を算出するために、最初に計算されて投入量を決める需要増加額と、それによって求められる直接効果は算定根拠の見通しによっては恣意性が働く可能性がある。経済波及効果における第一次間接波及効果と第二次波及効果は機械的に求められる一方で、そこにどのような数字を入れるのかが経済波及効果の算出結果の蓋然性を評価するうえでは最も注目すべき点といえる。

なお、第一次波及効果と第二次波及効果に対して、法人利益や個人所得の増加、消費増による付加価値の増加分に、それぞれ法人税や所得税、消費税の増加を見込むことができる。この税収増の効果は、特定の租税係数を算出し、付加価値額等に乗ずることで計算可能である。仮に、事業経費が100億円かかっても、経済波及効果によって税収増が見込まれ、事業経費以上の税収増があるならば、財政上の収支は均衡する。税収増の影響を見込んでも赤字になるとすれば、その負担を他の公共支出を減らすか財政赤字によって将来的に負担しなくてはならなくなる。

†経済波及効果と事業の「正当性」は関係ない

経済波及効果とは、短期的な需要の増加が国内経済の各生産部門にどのように流れ、雇用者所得や消費にどのようなインパクトをもたらすのかを計算するための手法であることは、先程述べた通りである。しかし、経済波及効果は公共事業やイベントによってもたらされた影響をすべて問題なく理解できる数値ではない。

まず経済波及効果は、特定の需要の増加が起きた際に、ある程度自動的に算出される数字に過ぎない。そのため、経済波及効果の額の大きさから事業の内容が自動的に正当化されるわけではないことには注意が必要である。

また、経済波及効果は、それが実行された結果生じるマイナスの影響まで評価できない。経済学の用語で言えば「負の外部性」のようなものを盛り込んで計算されるわけではないので、その点でもプロジェクトの正当性をその大きさから自動的に判断する材料には本来使えない。ただし、事業計画における収支が議論の焦点であるとするならば、短期的な経済波及効果によって生み出された税収増と事業経費との収支、つまり納税者の負担の面からプロジェクトの正当性を議論することはできる。

また、産業連関表を用いた経済波及効果の計算は、特定の需要増が生じた場合に、供給がすべてなされたことを前提にしている。たとえば、労働力や資材の不足などが起きて、仮にイベントに対する需要増があってもサービスや財の供給が不十分になるような不確実性が生じると、予定されたような波及効果が縮む可能性もある。また、既存の産業構造が所与のものであるので、特定の産業が地域から流出し十分な対応力を持たなければ、外から供給力を調達する必要がある。こうした供給側の影響がどのように生じるかについて、経済波及効果は判断材料とならない点も重要である。

万博において、3兆円の経済効果が予想されるということは、それだけの事業を動かす資材や労働力が調達されることが前提である。さらに、労働力や資材という資源が万博会場を中心に動かされることによる、日本経済全体や他の地域経済における様々な影響については考慮されないという点も注意を要する。

24年1月に石川県の能登半島で、同年4月には愛媛・高知両県をはじめ四国地域で震災が発生し、建設労働需要が必要とされる中で、万博のような大きな事業が何ら影響を及ぼさないというふうに考えること自体、不自然なものと言える。

たとえば、コロナ前の19年の建設業労働者数の年間平均は500万人であったが、以降、その数は緩やかに低下している。23年においては483万人、最新の24年2月の段階では480万人である。パビリオンの本格的な建設がこれから始まる中で、縮小する建設事業者のパイを被災地と奪い合うことや、仮に万博関係において確保できたとしても、それが十分な量を満たすかどうかについて、現状の日本の労働供給の状態は万全とは言い難い。しかし、経済波及効果は繰り返しになるが、このような供給の問題を想定せずに、あくまで需要増が与える雇用や消費増の試算結果を示したものに過ぎない。

経済波及効果の計算において最も重要な点である直接効果の計算についても注意事項を挙げておこう。第一次波及効果や第二次波及効果は、仕組み上、自動的に計算される。しかし、直接効果は一定の仮定に基づいて試算される。この直接効果の試算結果が実現可能性において疑念を持たれるようなものであれば、そもそも計算結果の効果が得られる可能性が低下する。

経済波及効果が事業の予測として用いられる場合には、なおのこと、この最初の直接効果の試算が十分な実現性や根拠のもとに計算されていることが必要となるのである。では、万博における3兆円の経済波及効果のうち直接効果の試算はどのように作られているのか。この点を確認するうえで、先に万博における複数の試算結果がどのように変遷してきたのかを整理しておくこととしよう。

万博の短期経済効果はどのように変化してきたか

2017年にパリで行われた25年の国際博覧会の会場選定において提出された資料では、大阪・関西万博は来場者数2800万人から3000万人を想定し、その経済波及効果は1兆9000億円と見込まれていた（毎日新聞2017年5月23日）。申請時期の会場建設予定費は1250億円であったことから、現在算出されている経済波及効果よりも規模は小さい。反面、会場建設費が2350億円と2倍近くに膨らんだことから経済効果は1・5倍程度になった。

17年11月には日本総合研究所が、万博とIRが同時開業された場合には25年の経済波及効果が2・6兆円になると試算し、IR事業によって25年以降、年間1・1兆円の波及効果が関西圏にもたらされるとの試算をまとめている（朝日新聞2017年12月1日）。

経済波及効果の計算は、先程から説明したように直接効果としてどのような需要増を計算するかによって変化する。波及プロセスにおいて恣意性は加えにくい反面で、直接効果でどのような需要増を見込むかによってその額が大きく変わることが、ほぼ同時期になされた試算結果が7000億円規模で異なることからもわかる。

りそな総合研究所が18年11月に報告している経済波及効果でも、その額は2・2兆円と見込まれているが、この試算では会場建設費が2000億円、運営費2000億円、来場者を2800万人（万博誘致委員会事務局の想定人数）として、9000億円の来場者消費額が直接効果の前提とされている。

また、後ほど詳しく検証するAPIRの試算では、会場建設費と運営費が人手不足や為替問題によるインフレなどから徐々に積み上がる中で上方修正が繰り返されてきた。直接効果の試算結果が変われば、自動的に第一次、第二次波及効果の増加が積み増しされるので、経済波及効果（総合効果）が増加することは自明の結果と言える。

†消費動向、2024年問題……実態と乖離した3兆円試算

では、現在新聞報道等で主張される3兆円規模の経済効果の根拠としてたびたび引用さ

れるAPIRこと「一般財団法人アジア太平洋研究所」は、どのような根拠を元に経済波及効果を計算しているのか、報告資料をもとに検証してみよう。

APIRが想定する直接効果は、大きく2種類の需要増加に基づいて算出されている。一つは、万博の建設と運営に関する経費である。この額は、度重なる価格改定に伴って徐々に膨らんでおり、24年1月24日のレポートの段階では、総額で7275億円となっている。その内訳は会場建設費2350億円、日本政府の出展における会場建設費が追加で1024億円、主催者運営費1359億円、出展者運営費2080億円、関連基盤整備として306億円、その他開催に向けた自治体費用が156億円となっている。

もう一つの観光客による消費需要の増加は、万博会場に2820万人が来訪することを前提として計算がなされている。この際、近畿外から訪れる国内客は宿泊を伴い、近畿圏の来場者は日帰りが想定されている。日帰り客の単価は、交通費や飲食、買い物など諸々含めて1人当たり2万4256円、国内宿泊客は3万4538円とされている。

ただし、この数値は観光庁が提供している旅行・観光消費動向調査の数値と乖離している。

観光庁が発表している旅行・観光消費動向調査の速報版における23年の日帰り客の消費

単価は円／人で1万9027円、宿泊旅行は6万3253円である（観光庁『旅行・観光消費動向調査2023年年間値（確報）』2024年4月30日）。

国内宿泊者数については、APIRでは平均宿泊回数2・2泊で除しているとの記載があるが、仮に6万3253円を2・2で割っても、その額はおよそ2万8700円なので、やはり上記の数字と一致しない。APIRでは、24年1月の試算において23年1〜9月の数字を用いて旅行単価を算出した旨の記載があるため、先ほどの観光庁の確報である23年全体額とは異なったものとも言える。旅行客単価は、今回の経済波及効果を計算するうえで重要な数値となるため、政府の最新の統計値と整合的なほうが望ましいかもしれない。

消費単価の件を一旦置くとして、これらの単価に国内客、外国人客の想定する人数を乗じた数が基準ケースで8913億円に上る。

以上の通り、万博の建設と運営に関する経費7275億円と、観光客による消費需要8913億円を合計した総額が万博によって増加する需要増であり、直接効果の根拠数値となる。このうち、APIRによる試算では、移輸入（府外で生産された商品を府内へ購入してくること）分を控除して直接効果が求められている。

第一次波及効果と第二次波及効果の発生を前提に（報告書の注21参照）、基準ケースとされる想定で大阪・関西万博の経済波及効果の総計は2兆7457億円と見積もられている。なお、APIRによる「拡張ケース」とされるものは、いずれも万博に関連して周辺自治体などでの滞在が延び、宿泊が延長されるなど観光消費額が増加した場合を想定している。

この試算で重要なのは、会場建設や運営における需要増が遅滞なく供給されるのか、来場者の数の確保や観光客の純粋な需要増が万博によって本当に達成されるのかという直接効果の試算に関する蓋然性にあると言える。

確かに、建設費や運営費は支出されることで想定される波及効果を生じさせることになるだろう。ただし、それも建設や運営に関係する労働や資源の供給が遅滞なく行われる場合のみである。実際、APIRの報告書においても、この試算に対して次のような注意書きがあることは、報道においては必ずしも重視されていないように思える。

「ただし、産業連関分析で得られた経済波及効果は、明瞭な供給制約がないことを前提としている。2024年問題が議論されているが、万博会場建設のボトルネックとなる可能性が出てくることには注意しておかなければならない。その意味で本試算値は一定の幅を持って理解される必要がある。(14頁)」

ＡＰＩＲの報告書において書かれるこの注意書きは、産業連関分析の教科書的な理解としては正しい。しかし、万博開催は、現在その負担を巡って社会的議論がなされるテーマの一つである。この時、「一定の幅」を持った理解について見解を示さずにすべての増加需要が満たされることである種、機械的に示される試算結果を無批判に額面通りに受け取ることに問題はないのだろうか。

特に報告書も触れている２０２４年問題では、建設業界だけでなく、物流、交通など様々な分野で労働供給が払底する懸念を抱えている。建設業だけでなく会場でのサービス供給、警備、その他様々な面での労働供給がどのように満たされるのか不明確な面を考慮すると、観光客における消費効果についても供給不足が与える影響は無視できない。

†「来場者2820万人」の高すぎるハードル

また、来場客数２８２０万人の根拠も必ずしも自明ではない。この数字は、万博誘致の際に政府側から出された２８００万人から３０００万人の来場者数を根拠資料としており、万博協会の公式資料の想定来場者数を自動的に用いている。ただし、こうした来場客数が本当に確保されるのかについては、本来、イベントにおける需要面や他の観光事業との兼ね合いから考慮されるべき点と言えよう。

戦後に行われたワールドエキスポの記録を見る限り、2000年代に入ってからの万博来場者数の規模はほとんど2000万人程度である。

図1は第二次世界大戦以後の万博来場者数を記録したものであるが（BIEの区分で最も大規模な登録博または旧一般博が対象）、1980年代以前の万博では来場者数が5000万人を超えるケースも少なくない一方で、2000年代に入ってから2500万人を超す来場者数を記録したのは、過去最高の記録を出した上海万博以外にない。国内人口規模が比較にならないほど多い中国という特殊性から考えて、このケースを下敷きにすることは適当ではないだろう。そう考えると、現在、国や万博協会が想定している2820万人の達成は決して容易なものとは言えないのではないか。

たとえば、ドイツで行われたハノーヴァー万博は当初、想定来場者数を4000万人としていたが、結果的にその半数以下の1800万人にとどまったことで、24億ドイツマルク（2000年代のマルク＝円レートは1マルク51円、およそ1224億円に相当）の赤字を計上した。この赤字はドイツ政府とハノーヴァー市が半分ずつ負担することになったとい

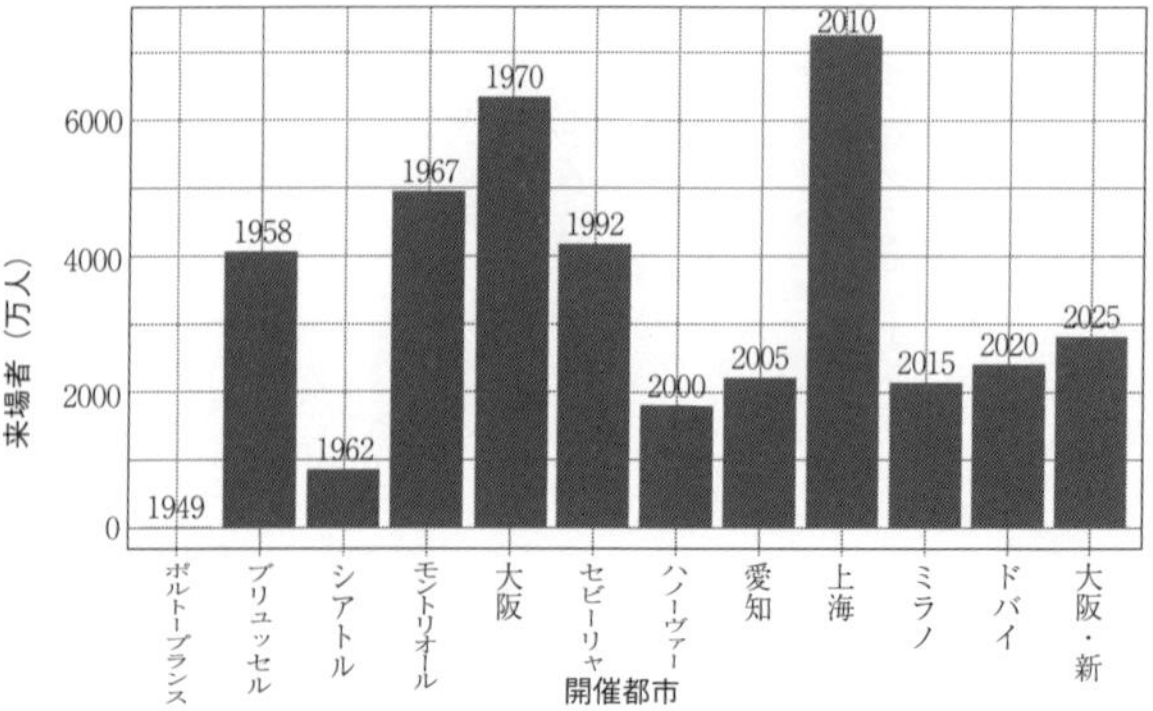

図１　過去の万博来場者数

出所）Bureau International des Expositions の各 World EXPO 詳細ページより筆者作成。

う。大阪・関西万博は赤字になった場合、どの組織がどのような割合で負担するか、今のところ未定だが、当時のドイツのシュレーダー首相が「万博は決して失敗ではないし、万博の恩恵はお金では測れない」（The Guardian, *Is Expo out of steam?*）という発言を残していることを考えると、ハノーヴァー万博の皮算用の失敗は対岸の火事とは言えない。

来場者数の計算根拠において、もう一つ不安材料がある。それが今回の万博の入場料である。現在、万博の入場料金は、いくつかのプランが想定されている。最も一般的な料金として想定されているのは、大人１人７５００円だが、この額は他の万博と比較しても決してリーズナブルな水準とはいえない。

２０００年以降の万博の来場者と日本円に換算した基準の入場料金を比較した図２を見ると、大阪・関西万博の相対的な入場料金の高さと、来場客数の見込みの多さが際立つ。経済学の常識的な考えに基づけば、商品に対する評価は価格によって表明され、価格が下がれば需要は増加する。高い価格をつけるということは、それだけの価値を来場者という消費者に感じさせる必要がある。少なくとも過去の水準から見て、25年万博の入場料金が高額であることは否定できない。今回の短期の経済効果は、こうした価格による需要の変化、経済学の言葉で言えば価格弾力性を考慮して入場者を決めているわけではない。

そもそも、初期の大阪・関西万博の入場料金は４８００円程度として申告されていたことから考えると、今回の７５００円という基準価格に上昇したことで、入場者の予想水準に対して何らの影響もないと見積もった推計の根拠はどこかで示されるべきと言えよう。ＡＰＩＲの報告書において、３兆円の根拠の半分を占める入場者数２８２０万人の中に、入場料金の水準に基づいて、その数の蓋然性を説明した記述は見当たらない。

経済波及効果は、初期の数値を入力すれば、結果自体はある程度自動的に算出されるものであると先にも指摘した。そのため、算出において最も重要視されるのは直接効果の推計がどれだけ信頼性が高いものであるかということにかかっている。

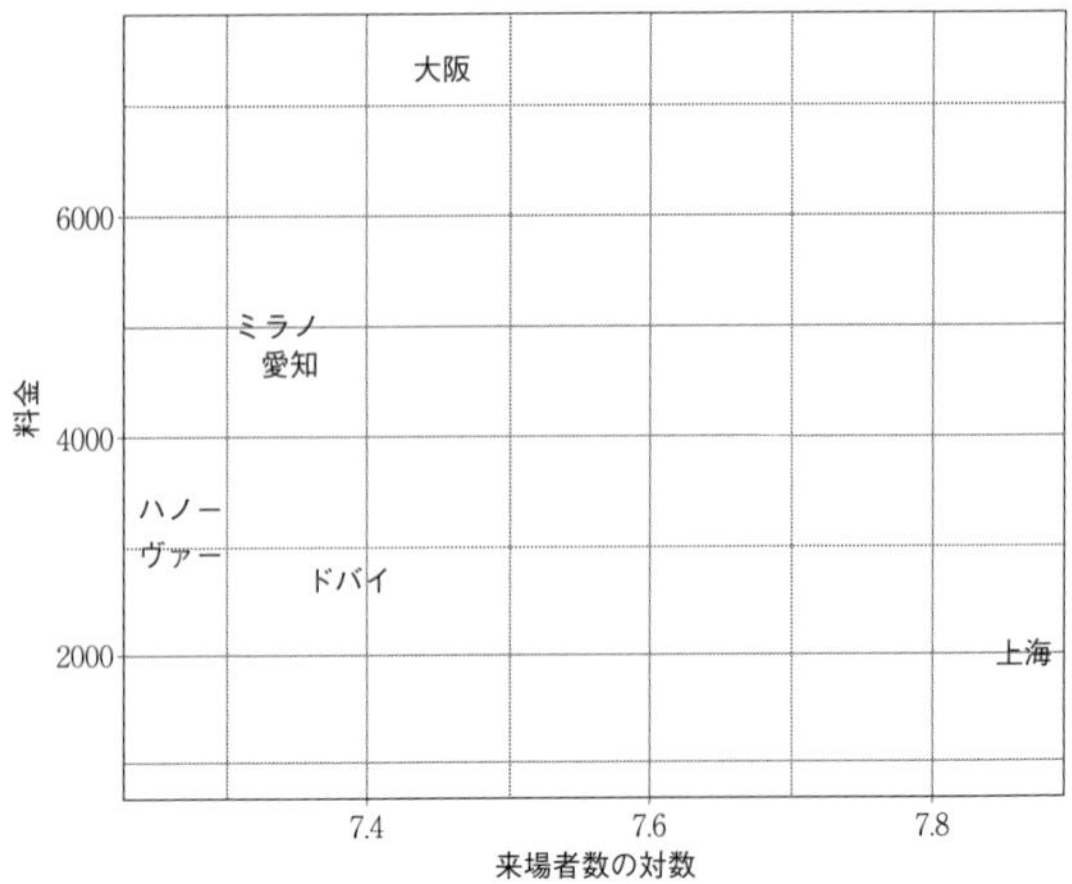

図２　2000年以降の万国博覧会の入場者数と入場料金のプロット図（現在価値の円に換算）

注）入場者数のデータ出所は、図1に同じ。料金は、ハノーヴァー万博についてはWired News「万国博覧会の時代は終わった？」（2000年6月13日）記載の69マルク、愛知万博については同協会ホームページより4,600円、上海万博はCRIオンライン記事「〈上海万博〉当日入場券と夜間入場券を販売」より160元、ミラノ万博は産経新聞「世界の味が一堂に　人気集める日本館」より39ユーロ、ドバイ万博はジェトロニュース「ドバイ万博、チケット販売を開始（アラブ首長国連邦）ビジネス短信――ジェトロの海外ニュース」より95ディルハム、いずれも当日券通常料金で比較。外国通貨については当時の取引レートを基準に日本円に換算し、かつすべての値段を日本円の物価調整で現在価値に揃えて比較した。

以上説明してきたように、この直接効果の推計において、現在最も懸念されるのは次の2点に集約されるであろう。

（1）建設や運営において計上されている需要増が、現在の労働供給や資材供給が圧迫される中で、何らの影響を及ぼされないことが前提であること。

（2）観光需要増の根拠として、来場者数2820万人が万博資料において記述されているとしているが、価格や過去の傾向からの蓋然性が十分確保されている数値なのか懸念が残ること。

さらに、第1点目についても、無理に労働供給を増やそうとすれば、万博会場や建設に関わるコストを増加させて高い給料を確保するなどの策が必要になり、こうした賃上げの影響は関西圏や大阪における同業種の給与水準を引き上げることになる。

労働者の立場からすれば、一時的にでも給与水準が引き上がることは望ましいかもしれないが、経営には当然影響が生じる。また、労働者も万博という一過性のイベントによって仮に給与水準が引き上がったとしても、イベントが終わればその水準は低下する。同時期に労賃上昇に押されて他の業種が倒産すれば、結果的にイベント後のマイナスの影響は労働者にも及ぼされることになる。

3兆円の経済効果は当然、こうした将来的なマクロ経済上の悪影響については、ほとんど想定していない。経済循環の中で巨大なイベントが与える影響を織り込んで考慮することが、経済効果に基づいて政策決定を行う場合に重要な論点となると言えよう。

†レガシー効果は「公益性」の有無で決まる

短期的な経済波及効果において、懸念される事項が種々存在することは、ここまで説明してきたとおりである。

続いて、中長期的な経済効果としてイベントが生じさせる正の外部効果、あるいは、報道等でより用いられる「レガシー効果（legacies)」について検討しておきたい。

正の外部性や、公共財といった特殊な財の性質を考えると、実は税金でイベントを行う意味は存在する。今回の万博では、会場建設費において2350億円、会場運営経費について3000億円規模の歳出が予定されている。APIRの試算資料を見ると、国、大阪府市からの建設以外のPRに関わる経費なども税財政から多数支出されており、その規模は無視できない。

万博による入場料収入は、予定している2820万人が仮に集まったとしても、総額で

969億円とされており、建設事業費にも足りていない。万博の入場料収入は、会場運営に関わる人件費や広告宣伝、企画事業の費用に充てられる予定であるが、この運営費も物価高騰の影響を受けて当初試算の809億円から、24年1月に1160億円に上昇している（万博協会の理事会資料に基づく）。運営費上昇後の見通しでは、入場料収入によって運営費を賄う計画も変更されている。運営費1160億円に対して入場料収入969億円でも足りない差額の191億円は、ロイヤリティ収入や施設利用料などによって埋めることを予定している（公益社団法人2025年日本国際博覧会協会『2024年2月6日臨時理事会会議資料』）。

このように、当初からも現在も、万博の事業会計の収支は、そもそもチケット売り上げ収入によって建設等を含めたイベントの総費用を賄うようにはなっていない。そのため、建設や諸関連の費用を賄うため少なくない税金が投入されることになる。しかし、仮に万博によって有形無形の正の外部性が生まれるならば、税金によってイベントや事業を行うことは否定されないかもしれない。

判断基準となるのは、税金によって行われる事業がどのような便益、さらに言えば公益を人びとにもたらすのかということにかかっている。税金によって行う事業の公益性を判断するためには、事業が一体なんのために、誰のために行われるものなのかを見極めることが重要と言える。

あるイベントを行うことで生じる利益が、特定の人間や特定のエリアにだけもたらされるものならば、本来その事業は利益を受け取る者たちによって賄われるべきである。しかし、効果が個別の人間や事業者に分割できない、あるいは、するべきでない事業で、その事業が社会にとって望ましい価値を持つとされるならば、税金という社会の財布を用いて行うことに正当性が生まれる。

たとえば、川に堤防を作ることを考えてみよう。特定の流域で氾濫する川に堤防を作ることで、流域の土地を安全に安定的に利用することが可能になる。河川流域の土地が利用できるようになれば、それだけ生産が増加し、土地に関わる多くの人に利益を与えることになる。全体の負担をもって堤防を建設しても、その利益を社会全体で共有するのであれば、税金を通じて行われる事業には説得力がある。

2020年東京オリンピックを例にとれば、財政上の全体収支では経済波及効果からの税収増を加えても国民全体に対して2兆円以上の赤字をもたらしたことが指摘されている（関西大学2021）。しかし、仮にオリンピック全体において収支が赤字でも、正の外部性によって、赤字額以上の利益や、2兆円の赤字に納得してでも支出すべきという意思決定が民主的なプロセスを経由して決まっているのならば、こうした歳出が政治的に正当化されることはありえる。

短期的な経済効果というのも、ある意味で政治的な合意を得るための数値と言える。これだけの効果があるので、税金を使っても「損」をしないですよ、という形で数値が用いられる。ただし、こうした効果が本当に発生するのか、その根拠についての疑問が残る点についてはすでに説明したとおりである。しかし、仮に短期的にはコストをかけても、長期的に、あるいはより広い形で利益を共有できるならば、財政を通じた歳出は正当化される。

†公共事業を長期的視点で評価するために

たとえば、公共事業を評価する場合は短期的な経済効果だけでなく、より広い形で費用対効果を計算する。橋や道路といった一定の耐用年数が存在する投資は、建設によって生じる社会的利益（便益）の現在価値（将来の利益を現在の価値に減算して求める方法）が、建設に関わるコストを上回れば、経済的利益を将来的に社会にもたらす。それでも、将来的な社会的利益、あるいは本章で議論した内容からすれば、正の外部性の計算や評価には常に政策立案者の恣意性が入り込む余地を残してしまう。

なお、公共投資や、公的プロジェクトの費用対効果を長期的に評価する手法としては、次のような手法がある（畑農・林・吉田2024）。

（1）代替法——民間市場で提供されているものと同種のプロジェクトによる経済効果を参考に、事業の効果を評価する手法。

（2）トラベル・コスト法——ある公共投資によって、来訪に関するコストが下がることでアクセスする場所に対する需要が増加すると仮定し、その需要増を測定することで事業を評価する手法。

（3）ヘドニックアプローチ——ある事業が行われた場合の地価の上昇を公共投資の便益として計算する手法。

（4）仮想市場法——アンケート調査等を用いて、公共事業について有権者がこの事業に対してどれだけの費用を負担しても良いかどうかを調査し、事業のコストパフォーマンスを評価する手法。

（5）コンジョイント分析法——同種のプロジェクトを複数並べて、その中から選択者が好ましいと思うものを選択させて事業の便益を測る手法。

しかし、これらの手法はあくまでも目で見える事業のコスト評価や、評価者の選好を代替的な指標に変換して公共事業を評価するものである。そのため、中長期的に生じる可能性が指摘される正の外部性については、何を外部効果にするのか判断しなければ、事業の経済効果全体を評価することはできない。

仮に人類に最適な公共支出水準というものが計算できるならば、国家財政の人口1人当たり水準が国や時代によって異なることは非合理的とさえ言える。常識的に言えば、公共支出の水準は、常に人びとの価値観に基づいて決められてきた。義務教育が過去の日本にはなかったことや、医療が無償で提供される国もあれば、極めて高い私的費用を課される国があることを考えれば、どのようなサービスや公共支出に、税金を投じるのかについては、ある時代のある場所で生きている人びとによって絶えず判断されていることがわかるだろう。

ただし、それ故に現在の大阪、特に大阪維新の会という地域政党が万博を進めようとすることについて、人びとの価値観の論点から生じる課題は根深いものと言える。本章の最後において、この点を指摘しておきたい。

†独自調査で判明「大阪でも低い万博評価」

大阪・関西万博に対して、多くの費用が計上されることや、仮に来場者数が協会の想定する人数だけ来たとしても、建設経費全体を賄うものにはなっていないことは、前述した通りである。巨額の税金を投じて行う事業が、トータルの費用上は仮に赤字であっても、その事業が社会的価値を有し、人びとが真に必要としているものであれば政治的正当性が生まれる。

では、大阪・関西万博の誘致は、そもそも人びとからどの程度支持されているのであろうか。筆者が行ったオンラインアンケート調査（大阪府在住者1000人から回収、調査日2024年5月10・11日、アイブリッジ社Freeasyパネル調査を利用、桃山学院大学倫理審査承認53番取得済）の結果を見る限りでは、大阪・関西万博によって最も直接的に利益を得るはずの大阪府民は、必ずしもその誘致を評価していない。

評価を4段階で示した場合、評価しない（−2）から評価する（2）で点数化し、その平均点を計算すると大阪・関西万博の誘致は平均−0.34（95％信頼区間は−0.43〜−0.26）である。反対に、大阪において行われた最近10年間の政策の中で、最も評価された政策は二重行政の解消であった。二重行政の解消の評価は平均で0.42（95％信頼区間は0.34〜0.5）である。

この二つの平均値の差からもわかる通り、大阪・関西万博の誘致に対する政策評価は大阪府内でも高くない。同様の水準で低い評価となっているのは、ＩＲ施設の誘致である（平均値−0.39、95％信頼区間−0.47〜−0.31）。大阪・関西万博の誘致とＩＲ施設の誘致は、大阪維新の会を支持している回答者も、それ以外の政策と比較して低い評価をつけている。以上を考慮すると、大阪・関西万博による税金の投入に対して、世論から広範な支持が得られているかには疑問が生じる。

†万博の公益性と相容れない維新の「個人の利益追求」志向

大阪・関西万博の誘致やプロモーションを主導してきたのが大阪維新の会であることも、大規模な財政を動員するプロジェクトの正当性を考えるうえで無視できない。

大阪維新の会が行ってきた政策は、公務員組織や外郭団体、既存政党を既得権益層とし

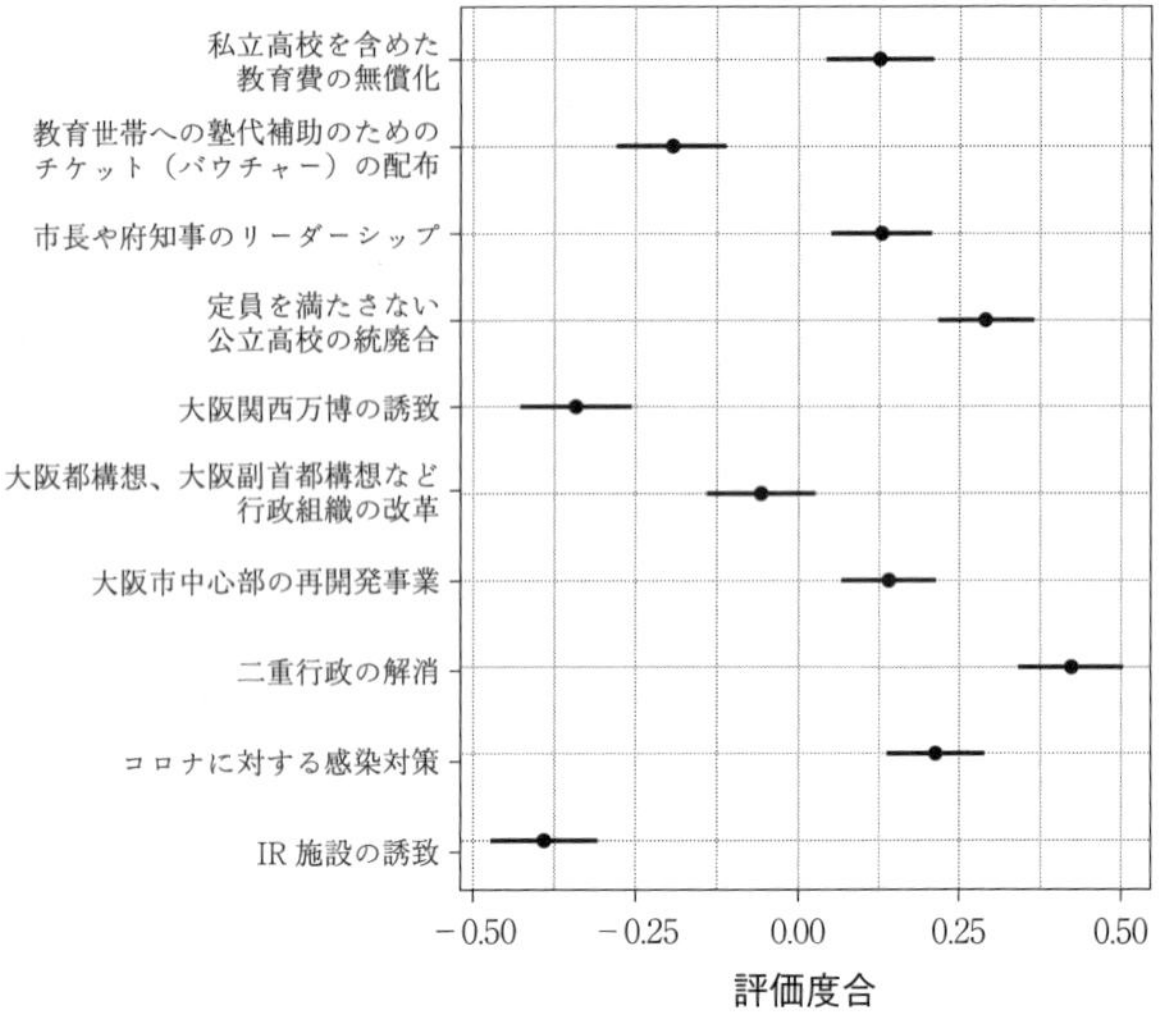

図３　近年の大阪で行われている政策についての評価

（n＝1,000）

出典）インターネットアンケート代理業者 Freeasy（2024年5月10－11日回収、大阪府居住、18歳以上99歳以下回答）より筆者作成。
注）「近年の大阪で行われている政策についてのあなたの評価」について、それぞれの政策内容に関する「あなたが感じる好ましさの段階」として、「好ましい（2）」、「まあまあ好ましい（1）」、「わからない（0）」、「あまり好ましくない（－1）」、「好ましくない（－2）」で算出したものとなる。エラーバーは95％信頼区間を表す。

てこれを批判する、いわゆる「身を切る改革」であった。身を切る改革とは、過去の財政運営が既得権益構造によるもので、市民に還元されないものであると指摘し、その解体を通じて生み出した財源を、保育料の無償化や私立高校の教育費無償化の受給資格から所得制限を撤廃するなどの形で還元するということに言い換えられる（吉弘2024）。実際、教育改革に対する評価は先程の調査で見ても、相対的に高い。

大阪維新の会が看板政策としてきた大阪都構想の住民投票を分析した善教将大は、維新の会が代表選挙では強い支持を獲得しながら、政策争点を直接問う選挙では2回とも敗北した理由の背景に「有権者の合理性」を読み取っている。大阪を地域的に代表し、自らに利益を還元してくれる点では、大阪維新の会は強い支持を受けることができる。しかし、都構想のように個人へのメリットが十分理解されにくい政策では、必ずしも評価を取り付けられなかったのである（善教2018、2021）。

筆者が行った調査でも、個人に直接メリットが感じられる領域では、大阪維新の会が行ってきた政策に対する評価は高い。反面、所得制限のある制度や、税金を使った社会的プロジェクトについては、相対的に評価が低くなっている。有権者は各個人の合理的な判断、つまり自分へのメリットの有無で政策を評価している。

繰り返しになるが、大阪維新の会はこれまでの所得再分配や資源配分を既得権益として、その解体と頭割りでの普遍的分配を行ってくれる政党であった。中間組織でなく、より広い対象から支持を調達することを目指そうとすれば、維新の会のこうした政策は彼らへの支持を高めるものとなる。しかし、この政策方針の弱点も存在する。

先程の堤防の例でも示したように、財政によって供給される公共財とは本来、個人に利益を分割できない（しない）ものである。だからこそ、税金という全体の負担で全体への利益を買う行為（財政）が正当化されるのである。

大阪・関西万博は全体の負担で、全体に利益を提供しようとする財政の本質的事業の一つといえるだろう。そのため、短期的な経済効果だけで万博の価値を測ることは、維新の会の議員や関係者が語るように正しくないと言える。しかし、大阪において維新の会の支持を強化し、人びとから評価されてきた政策は、財政の本質というよりは、それを批判することであった。

有権者が合理的であるからこそ、皮肉にも個人へのメリットを感じにくい大阪・関西万博に対する支持は容易に取り付けられないのである。そして、有権者にとってメリットを見いだせない政策を批判して支持を拡大してきたのは、他ならぬ大阪維新の会自身であった。ここに、万博を駆動する側と、その政治的支持を支えてきた人びととの間の溝が生まれることになる。

改めて万博における課題を財政学の立場から考えれば、それは万博によってもたらされる「価値」をどれだけ、どのように人びとの間に広げるかにかかっていると言える。その点から言って、インフラ整備など後に残るものの効果にとどまらず、地域間経済連携の実体化、多元的な出自の人びとの共同を埋め込む多様性のある社会といった価値を、今からでもどれだけ万博において実行できるのかが最大の鍵と言えよう。

それは、短期的なコスパの重視を超えて、中長期的に残り、我々の社会に正の外部性を発揮してくれるような、文字通りの「遺産」をどのように残すのかということである。維新の会という都市住民のコスパを重視する志向を受けて成長した政党が、短期的なコスパを超えた中長期の価値を共有させる議論を喚起できるのか、万博の成否はまさにその点にかかっていると言えるのではないだろうか。

第5章

大阪の「成功体験」と「失敗の記憶」——万博と都市

松本創

†博覧会の成功、湾岸開発の失敗、カジノの未来

「21世紀にもなって、万国博覧会を開催するのは時代錯誤です。グローバリゼーションやデジタル化が進む現代、人口面で収縮と衰退に向かう日本が万博を開催するのは、歴史の大きな流れとあまりにずれている」

『博覧会の政治学』『万博と戦後日本』などの著作がある社会学者の吉見俊哉は、2025年大阪・関西万博の開幕まで1年の共同通信のインタビュー〈万博再考〉でこう語っている。

成長から成熟へとフェーズが変わった人口減少社会で「いまだに高度成長期と同じよう

に国家予算を投じて、都市部の開発を続けたい」という動機のメガイベントが成功するはずもなく、政府が優先するべきは能登半島地震の復興や地方のまちづくりだと主張する。

報道各社の世論調査で万博への関心が一向に盛り上がらない状況、それを受けた各紙の社説などを見ていると、同じように感じる国民は少なくないようだ。私自身、五輪なども含めたメガイベントが持続的な経済成長をもたらしたり、社会問題を根本的に解決したりすることはなく、それを期待する時代でもないだろうと基本的には考えている。

では、なぜそのように時代錯誤なイベントが開かれることに「なってしまった」のだろうか。

それは本書第1章で木下功記者が詳細に経緯を追っている通り、大阪が地域政党「大阪維新の会」の独裁とも言うべき一強体制にあることが大きい。ともに同党代表、大阪府知事・大阪市長を務めた橋下徹と松井一郎が、2020年東京五輪の開催決定に追随するように誘致をぶち上げ、カジノを中心とするIR（統合型リゾート）計画がある夢洲を会場に決め、関係の近い安倍晋三首相と菅義偉官房長官（いずれも当時）を後ろ盾にして政府を巻き込んだ。その経緯は、本人たちも著作をはじめ、さまざまな所で「維新政治の成果」「大阪の成長の起爆剤」だと誇らしげに語ってきた。

とはいえ、彼らが唱え、党の看板政策としてきた「成長」や「改革」のプランは――大阪都構想や教育無償化ですら――彼ら自身が独自に考え出したわけでも、初めて口にしたものでもない。大阪で二度目の万博を開くことも然りだ。

突然始まったように見えることでも、歴史的文脈や背景は必ずある。

大阪という都市に脈々と受け継がれてきた成功体験と失敗の記憶。政治・行政・経済界および学界やメディアの動きと思惑。それらをめぐる報道や世論……そういった都市の地層に染み込んだ歴史の流れが一つに合わさり、現実化していったのである。

本章では、2025年大阪・関西万博へと至る歴史的文脈を「大阪と博覧会」「大阪の湾岸開発」「大阪へのカジノ誘致」の三つの流れから検証する。

†博覧会都市の始まり「第五回内国勧業博覧会」

〈博覧会都市の一世紀〉と見出しの付いた雑誌記事が手元にある。かつて大阪市の外郭団体が発行していた月刊誌『大阪人』の2000年5月号に掲載されたものだ。建築史や都市文化の研究者で、博覧会の歴史に詳しい橋爪紳也・大阪市立大学助教授（当時。現在は大阪公立大学特別教授）が、明治時代から始まる大阪と博覧会の約100年にわたる密接な関係を語っている。橋爪自身が幼少期に多大な影響を受けた1970年の大阪万博からちょうど30年の特集号。大の万博マニアであり、同誌編集委員でもあった橋爪は、太陽の塔と並んで表紙を飾っている。

特集号の記事などを手掛かりに、まずは大阪と博覧会の歴史を概観しよう。

大阪における博覧会史は1903年(明治36)の「第五回内国勧業博覧会」から本格的に始まる。それ以前にも骨董品中心の「堺博覧会」(1876年)があり、「大阪博物場」や「商品陳列所」という府立施設では産業見本市や物産展が開かれていたが、内国博は明治政府が主催する殖産興業を目的とした大規模行事である。ロンドン、パリ、ウィーンなど日本が視察・参加した欧州の万国博を手本に、第一回(1877年)から第三回(1890年)までは東京、第四回(1895年)は京都で開かれた。

実は第四回をめぐって、大阪市は京都市との激しい誘致合戦に敗れていた。このため第五回は必ず勝ち取るべく周到に準備と根回しを進め、東京や名古屋との競争を制した。博覧会は都市に大きな恩恵をもたらす利益誘導事業だったからだ。京都では内国博に合わせて日本初の路面電車が開業。道路整備も進み、会場跡地は平安神宮と岡崎公園になった。後に動物園や美術館も建ち、一帯は近代的な文化・観光の拠点となる。大阪市議会から派遣された議員の調査報告によれば、博覧会効果は他にも「不動産価格の騰貴、人口増加、新事業の勃興、輸出品の増加、美術工芸の進歩など枚挙に暇なし」だったという。

こうした経緯から大阪の威信をかけて開かれた第五回は、過去4回をはるかにしのぐ規模となった。市の南の外れだった天王寺・今宮一帯を第一会場、堺市大浜公園に建設した水族館を第二会場とする計11万4000坪(甲子園球場10個分)。面積は京都の2倍以上、会期も153日間と最長だった。

最大の特徴は、「内国」と言いながら外国産品の出展が初めて可能になったことだ。展示館に陳列されたイギリス、ドイツ、アメリカなど14カ国18地域の産品は、主に海外の貿易商が持ち込んだが、英国領だったカナダは外国政府として唯一、独自パビリオンを建設して参加。これが結果的に日本で最初の国際博覧会となった。会場にはこれまた日本初のメリーゴーラウンドやウォーターシュート(急流すべり)、パノラマで世界各地の風景が楽しめる「世界一周館」などの遊具や娯楽施設——今で言う遊園地のアトラクション——も並び、産業界の関係者だけでなく一般客も詰め掛けた。当時としては破格の530万人を動員し、第一会場だけで435万人に上った。その頃100万人に迫っていた大阪市人口の4倍以上である。

単なる産業見本市ではなく、国際性とエンターテインメント性を打ち出したのが画期的で、以後の博覧会に転換をもたらしたと、橋爪は記事で語っている。博覧会を利用した大阪の都市開発・整備もここから始まっていったという。以下、引用する。

〈また、大阪の博覧会は街づくりに貢献しました。これも大きな特徴です。たとえば大阪の南部に大きな公園をつくる計画は、内国博覧会の開催によって実現しました。博覧会用地はイベント終了後に、半分が天王寺公園、残りが新世界という歓楽街になった。天王寺公園は、戦前の納涼博覧会、交通電気博覧会、戦後は昭和六十二年の天王寺博覧会など、後に何度も繰り返し博覧会の会場として活用されます。イベントスペースという役割を担い、大阪の拠点になったんですね〉

補足すれば、天王寺公園には大正時代に市立動物園と住友財閥から寄付された日本庭園が、昭和に入って市立美術館が完成し、現存している。新世界では1912年（明治45）のまち開きと同時に、エッフェル塔を模した初代通天閣と遊園地「ルナパーク」が開業。遊園地は10年ほどで閉園したが、新世界は時代ごとの盛衰を経て、今なお娯楽と観光の街として生き続けている。

†都市を広げ、人・物の流れ変えた70年万博

内国博はその後、政府の財政難などを理由に中止され、第五回が最後となった。だが、橋爪が語るように、大阪ではその成功体験を皮切りに大小さまざまな博覧会が開かれていく。

戦前で一つ挙げるなら、1925年（大正14）の「大大阪記念博覧会」が特徴的だ。この年、第二次市域拡張で周辺郡の44町村を編入した大阪市は、人口139万人から一挙に211万人となり、東京市（199万人）を抜いた。繊維産業や重工業の隆盛で「東洋のマンチェスター」の異名を誇った大阪が人口・面積においても日本最大の都市となり、「大大阪」と呼ばれた時代。それを祝う博覧会が大阪毎日新聞社の主催、大阪市の後援で開かれ、天王寺公園と大阪城が会場となった。

このように博覧会は、新技術の便利さや都市生活の豊かさを見せると同時に、地域ナショナリズム発揚の装置でもあった。大阪人にとっては参加して楽しむ「お祭り」の側面も大きかったと橋爪は見る。そして、その高揚感を追い風に都市開発を進める手法が戦後も続く。再び記事を引用する。

〈街づくりに博覧会を生かすという手法は、その後の七〇年大阪万博、九〇年花博にも受け継がれます。万博では大阪北部の千里丘陵、花博では東部の鶴見緑地周辺が生まれかわりました。大阪の東西南北の周辺エリアは博覧会とともに開発されたんですね〉

吹田市と豊中市にまたがる千里丘陵では、大阪府が１９６１年から計画人口15万人という空前のニュータウン整備を進めており、70年万博と同時に完成を迎えた（実際の最大人口は75年の約13万人）。万博関連事業は道路・鉄道・空港・港湾など総額６５００億円（現在の2兆円前後）に上り、万博開催が正式に決まった65年以降、会場と千里ニュータウンをはじめ大阪府下の各所でインフラ整備が急ピッチで進んでいった。

地下鉄御堂筋線から会場までを結ぶ北大阪急行の開業。阪急千里線も万博臨時駅を開設し、同線と相互乗り入れする地下鉄堺筋線が大阪市内に開業した。道路は、ニュータウンへの幹線となる新御堂筋が開通。近畿自動車道と中国自動車道も開通し、名神高速道路と接続された。阪神高速道路は大阪市内中心部を走る環状線、そこから大阪空港へ至る池田線などが完成。同市内ではまた、地下鉄谷町線と千日前線も相次いで開業・延伸。東西を貫く中央大通とそれに沿った巨大な船場センタービルが建設され、その屋上を阪神高速東大阪線が走る。南北の大動脈の御堂筋は南向き一方通行となり、大阪市電は全廃……など、交通網の変化だけを挙げても枚挙に暇がない。

70年万博は大阪にとって、それほど大きなインパクトだった。都市圏域が郊外へと広がり、人や物の流れが変わった。その20年後の90年花博（国際花と緑の博覧会）会場となった鶴見緑地は、70年万博の際に地下鉄工事などで出た土砂の処分場を博覧会用地に活用したものだ。花博へのアクセス路線としては地下鉄長堀鶴見緑地線が開業している。

橋爪自身もまた、万博に人生を決定づけられた。小学4年生の時、大阪・ミナミの実家から18回も通って未来の世界に胸躍らせた、父親が塗装工事を担当したパビリオンを誇らしく眺めたという万博体験を先の雑誌記事をはじめ、さまざまな所で語っている。長じて建築・都市計画の研究者となり、２０１０年上海万博では大阪府・市が出展したパビリオンのプロデューサーを務めた。

ちょうどその時期、私が橋爪に取材した記事では、こんなことを語っている。

〈（筆者注・70年の）万博で提示された実験的な試みと最先端の技術、さらに、あの時代が持っていた創意工夫や前向きに挑戦する精神。そういった総体としてのパワーを感じ、学ぶべきなんだと思います。

今年5月に開幕する上海万博には、日本の都市で唯一、大阪府・市が公式に共同出展します。テーマは「環境先進都市・水都大阪の挑戦」。（略）大阪館のある「ベストシティ実践区」は、世界の代表的都市が先進的取り組みを競い合う万博史上初めての企画。大阪は、水処理や植物工場などの環境技術をアピールします。

万博の精神はこんな形でも40年後の今につながっているんです〉（『月刊島民　中之島』第20号、2010年3月発行）

取材時の雑談で橋爪が語っていた「大阪でもう一度万博を」という夢は、15年を経て実現することになった。2025年大阪・関西万博には最初期の構想段階から府・市特別顧問（万博担当）、誘致構想検討会座長として関わり、開幕後もテーマウィークの催しなどに助言を行う。万博を推進してきた一人である橋爪は、工事遅れや予算膨張など準備の迷走をどう見ているのか。何が原因だと考えるのか。取材に語ったことは本章の最後に詳述する。

†維新ブレーン・堺屋太一の提案から始まった

70年万博の成功体験を繰り返し語り、2度目の大阪開催を橋爪以上に強く訴え続けた人物がいる。言わずと知れた作家で元経済企画庁長官の故・堺屋太一だ。旧通産省の若手官僚として70年万博に深く関わった堺屋はその後、75年の沖縄海洋博も担当。退官後はその経験を看板に、国内外で数多くの博覧会にプロデューサーや顧問として関与していく。

大阪出身であり、2008年の大阪府知事選に橋下徹を擁立した中心人物としても知られる。大阪府・市の特別顧問や、大阪維新の会の支援団体である「経済人・大阪維新の会」で最高顧問を務めた維新政治・行政のブレーンであり、橋下の後見人というべき存在だった。

19年2月に堺屋が死去すると、橋下はメールマガジンで追悼文を配信（後に改稿され、『大阪都構想&万博の表とウラ全部話そう』に収録）。大阪都構想住民投票やさまざまな選挙で応援演説をしてもらった、自分の改革方針に難色を示す市幹部を説得してくれた……などの恩義を綴った。

万博開催を提案された話も出てくる。堺屋と市長時代の橋下、府知事時代の松井一郎が会食した席でのことだ。松井の著書『政治家の喧嘩力』の記述も併せると、時期は2020年東京五輪の開催が決まった13年秋から冬だろうか。場所は北浜の寿司屋。橋下の記述によれば、堺屋の提案はこうだ。

「大阪都構想に並んで、大阪府民に希望を持ってもらうためにも、そしてなぜ大阪府と大阪市が一つになる大阪都構想が必要なのかを示すためにも、もう一度大阪万博をやろう！」

「1964年の東京オリンピックと1970年の大阪万博がワンセットになって日本の高度成長を確たるものにした。成熟した少子高齢化時代を迎える日本が進むべき道を示すのも、2020年の東京オリンピックと2025年の大阪万博がワンセットだ」

万博がなぜ都構想の必要性を示すのか論理的につながらないが、維新の年来の主張からすれば、「メガイベントを成功させるには府市一体で取り組み、決定や投資を迅速に行う必要がある」と言いたいのだろうと推測はできる。だがそれは、府市間の議論や調整がなくなり、巨大事業への歯止めが利かなくなることでもある。

続く五輪と万博が日本を成長させたかのような言い方もおかしい。原因と結果を取り違えている。50年代半ばから60年代を通じて年平均10％前後の経済成長が続き、企業の設備投資や収益も、国民所得や消費も右肩上がりの時代だったから二つのイベントは成功したと見るべきだろう。五輪と万博は高度成長の結果であり象徴ではあっても、それが原因で成長したわけではない。

堺屋は80年代から「イベント・オリエンテッド・ポリシー」なる造語――直訳すれば

「イベント指向型政策」か――を提唱し、自身の万博体験を振り返った晩年の著書『地上最大の行事　万国博覧会』でも、イベントの成功が社会を活性化させ、政治をまとめ、景気回復をリードすると主張している。だが、これは自らが万博を成功させたと自負するあまりの過大評価だろう。

関西（近畿圏）経済について言えば、域内総生産の全国シェアが70年度の19・3％（うち大阪府が10・2％）でピークアウトし、以後、地盤沈下と言われる長期低落傾向に入った――つまり万博を境に衰退に転じた――のは常識と言える話だ。高度成長と万博特需に沸いたものの、その勢いを新産業創出など次の成長につなげられなかった、産業構造の転換に乗り遅れ、東京への本社機能移転や企業流出が増えていったというのが関西経済界の共通認識だろう。

そう考えれば、「東京五輪と大阪万博がワンセット」というのも根拠がない。橋下のメルマガには、堺屋が知事選出馬要請に来た際、70年万博後の大阪の低迷や東京との格差を嘆き、高度成長期や大大阪時代の輝きを取り戻したいと語ったことが記されている。かつて関西経済界が盛んに唱えた東京・大阪の「二眼レフ論」だ。東京一極集中と関西の地盤沈下を憂える心情は理解できるが、万博のような一時的イベント効果で解決できるというのは、堺屋の願望に過ぎないだろう。

†「万博に取りつかれた男」との空疎な質疑

実はこうした疑問を堺屋に直接ぶつけたことがある。

2010年3月13日、大阪万博40周年の記念式典が行われた万博記念公園でのことだ。式典挨拶で堺屋は「25歳からずっと万国博覧会に取りつかれた人生」だと自己紹介し、「1970年の大阪万博、90年の花博、できればもう一度、この大阪で博覧会が開かれてほしい。最近の日本は元気がなく、冒険的なことをしなくなっているから」と述べた。そして、かつてのパビリオン「鉄鋼館」を改修した「EXPO'70パビリオン」を内覧した後、私を含む報道陣の取材に応じた。

当時の録音から、私自身が行った質疑をいくつか抜き出してみる。

――40年経って、大阪万博は何を残せたと思っておられますか

大阪万博で活躍した人たちが20世紀の間、日本の文化をすべてリードしましたね。建築でもファッションでも光の芸術でも、日本のトップを占めた人は全員、万博出身。私がお

願いした時、磯崎新さんも、黒川紀章さんも、コシノジュンコさんも、石井幹子さんも、全員30代です。今、30代の人にこんな大きな行事を任せることは絶対ないですよね。当時はそれを大胆にやったし、できた。

——当時は高度成長期ですが、今は成熟社会と言われる中で40年前の考え方や手法が通用すると思われますか

はい、はっきり通用すると思います。ただ、それに命を懸ける若者がいなくなっただけです。今、私は上海万国博覧会をやっていますが、1984年から26年かけてこれを実現させました。そういう気迫を日本の若い人がこれから持ってほしいと思います。特にこの関西の人には。今は衰退してますけども、かつて大阪の人たちがこれだけのものをね、世界を驚かせるものを作ったということを思い出して頑張ってほしいですね。

これには少し説明が必要だろう。先述した堺屋の著書によれば、84年に初めて中国を訪問した際、副首相や上海市長に万博開催を提案したという。89年の天安門事件の影響で一度は頓挫したが、26年越しに実現し、堺屋は「最初の提案者」として外国人特別顧問に任命された。一方で、日本企業が合同出展した「日本産業館」の代表も務めた。上海万博は、

この会見の1カ月半後に開幕。それまでの最高記録だった大阪万博の入場者数6422万人を上回り、7300万人を記録した。

続けて別の記者が70年万博のテーマ「人類の進歩と調和」について聞いたが、堺屋はそれには直接答えず、「あの時、本当に見せたかったのは、近代工業国家になり規格大量生産ができるようになった日本だった」「一番重要なことは、当時のお金で192億円儲かったことだ」と語った。そして、次に万博をやるなら「工業国家を卒業して知恵の時代、「知価社会」になった日本を表現できたらいい」と言い、「中国やアジア諸国に追いつかれる中、近代工業社会のその先を見せるべきだ」と主張した。

これを受けて、また私は尋ねた。

――人口減少し、高齢化が一層進む日本に、今の中国のような経済成長や消費社会の再来は望めないと思うのですが、これからの日本社会が目指すべき目標やイメージをどうお考えですか

日本の消費社会はこれから猛烈に発展する可能性があります。それは何かというと、高齢者が楽しみと誇りを持って生きられる社会、老を好む「好老社会」を作ることなんです

ね。今の日本で高齢者と言えば福祉や介護や医療などマイナスのイメージが多いですが、高齢者の経験とパワー、そしてお金ですね。時間持ち、知恵持ち、お金持ちの高齢者がいかに誇りを持って暮らせるか。そういう社会を作らなきゃいけない。世界中から、豊かな高齢者が引退するなら日本が一番いいと言われるよう、全力を挙げるべきなんです。

ところが役所は、70年万博当時の規格大量生産の発想から一歩も出ていません。私も閣僚として、ずいぶん改革に努力しましたが、役人がついてきてくれない。70年万博は、中進国だった日本を先進工業国へと概念を飛躍させたんです。70年代の石油ショックにも80年代の円高にもめげず、日本が発展できた原点です。それが90年代のバブルで変わった。その後、知恵が出てきていません。

――万博以降、新しい発想が出ていない、と

万博の発想が20年間持ったけれども、その後が出てきていない。それを引き出すような行事がなかったと思いますね。

どうだろう。時代と社会を論じる評論や未来予測小説を多数発表してきた作家らしく、「知価社会」「好老社会」という造語を交えて語ってはいるものの、私にはなんら響く所が

なかった。過去の成功体験を過度に美化し、その再来を願う言葉は空疎で抽象的で、理念や必然性も感じられない。所詮は堺屋個人の夢物語に終わるのだろうと考えて、この会見をどこに書くこともなかった。

今回14年ぶりに録音を聞き返して感じたのは、この空疎さ、理念や必然性の乏しさが埋まらないまま、維新一強という大阪の政治状況により、茫洋とした夢物語がなんとなく現実化してしまったということだ。堺屋が口にした「好老社会」なる未来像は、大阪府が誘致検討段階で掲げたテーマ「人類の健康・長寿への挑戦」の下敷きになったようにも思える。

橋下と松井が書いているように、堺屋との三者会談から本当に万博誘致が始まったのだとすれば、彼らの空疎な夢と政治的思惑に大阪が、政府が、日本国民が付き合わされているだけという感がぬぐえない。

†排除と差別、博覧会の「負の歴史」

そもそも博覧会は、橋爪や堺屋が語るような都市と経済の成長という明るい側面だけでは捉えきれない。帝国主義と植民地支配、収奪と搾取、排除と差別といった近代国家と資本主義の暴力のもとに成り立ってきた面があり、そうした真逆の視点から批判的に論じる者もいる。

地理学者で神戸大学准教授の原口剛もその一人。天王寺に近い労働者の街・釜ヶ崎に長く関わってきた原口から見れば、先述した第五回内国博は二つの〝事件〟に象徴される。

一つは「人類館事件」。会場内の学術人類館という施設で、琉球民族やアイヌ民族、台湾や朝鮮などの先住民族が「七人種の土人」として、生身のまま動物園のように〝展示〟された。そこには、初の国際博覧会で欧米諸国に肩を並べたい明治国家の自己像が投影されていたと原口は指摘する。

もう一つは「長町」と呼ばれた木賃宿街の解体と移転だ。貧しい労働者が集まる長町は当時の町外れ（現在の日本橋「でんでんタウン」界隈）にあったが、内国博の会場建設を理由にさらに追いやられ、何もなかった場所へ移転させられる。これが釜ヶ崎の始まりである。

「博覧会はその始まりから、世界への相互理解を深めるどころか、ナショナリズムと植民地主義を煽りたて、貧民を邪魔者扱いして立ち退かせる権力の装置だったわけです」と原口は言う。そして、戦後の高度成長期に釜ヶ崎に集まってきた労働者が1970年万博とそれに伴う都市改造の突貫工事を支え、多くの犠牲者も出た。万博会期中の4月には、地下鉄谷町線・天神橋筋六丁目駅の建設現場でガス爆発事故が発生し、死者79人、重軽傷者420人に上る大惨事となった。

さらに、博覧会が終わると労働者は使い捨てにされ、居場所すら奪われる。バブル期の大阪では、大阪21世紀計画という名の下、「大阪築城400年まつり」「大阪世界帆船まつり」、堺屋が考案した「御堂筋パレード」、市制百周年記念の「国際花と緑の博覧会」など、次々とイベントが行われた。その中でも原口は87年の「天王寺博覧会」に着目する。公園の「浄化」に利用され、後の野宿者排除や公園の〝民営化〟(パークマネジメント)につながってゆく原点とも言える事例だからだ。

「博覧会の準備と会期中、天王寺公園を利用していた日雇い労働者や野宿者は追い出されたんですが、終了後も2年以上かけて公園は全面改造された。再オープンした時には全域が柵で囲まれ、入場料150円の有料公園になってしまった。公園はきれいになったかもしれませんが、人間が排除され、空っぽになってしまったんです」

そんな博覧会のテーマが「〝いのちいきいき〟——人・いきものの共存をめざして」だったというからブラックジョークのようだ。当時の新聞によれば、開催目的は二つ。市が特に力を入れた花博の前景気を煽る——つまり花博の機運醸成だった——こと、そして、この年に着工された関西国際空港の開港へ向けたミナミの玄関口の整備だったという。

「世界のどんな都市も、周辺部には貧しい人びとやマイノリティのコミュニティが必ずあります。彼らが住む場所で開発プロジェクトが動き出すと、次第に裕福な人たちの街へと塗り替えられていく。そのプロセスのことを「ジェントリフィケーション」と言います。一番の問題は、立ち退き・排除。もともと住んでいた人が直接あるいは間接的に都市から締め出されることです。

天王寺公園には、2015年に「てんしば」という民間不動産会社が運営する商業施設ができました。以前のような柵は確かになくなりました。しかし、お金のない人はますます近寄りにくくなった。強制撤去よりも、地域の高級化や消費空間化、家賃上昇など間接的な方法で人を排除していくのが、ジェントリフィケーションの本質なんです」

イベントを利用して都市圏を拡大し、整備を進めてきた博覧会都市・大阪。そこには、あまり語られることのない負の歴史が隠れている。25年の大阪・関西万博に向けても、また同じようなことが起こるだろうと原口は言う。

†テクノポート計画の挫折、大阪五輪の惨敗

〈21年目の白旗／大阪市テクノポート計画〉という見出しで、咲洲・舞洲・夢洲にまたがる大阪湾岸開発計画の終焉を毎日新聞が他紙に先んじて報じたのは、2008年8月16日の夕刊だった。

ただ、バブル景気真っただ中の1988年に策定された臨海都市構想「テクノポート大阪計画」は、もうとっくに頓挫していた。バブル崩壊後の景気低迷で企業は集まらず、五輪誘致も失敗、WTC（大阪ワールドトレードセンタービルディング）など主要施設の経営破綻……。市役所内部で「現状とかけ離れた計画と決別し、発想を転換すべきだ」との意見が強まっていたと記事にある通り、それまで認めてこなかった失敗を、平松邦夫が新市長となったのを機に認め、方針転換したというわけだ。

「大阪のまちづくりの一番の災いの元やったし、港湾局が過大投資に走った原因でもある。早く処理して仕切り直さないと……と考えた。庁内では特に異論は出なかったけど、咲洲に融資したり土地を持っていたりして、将来の開発に望みをつないでいた金融機関あたりには衝撃が走ったかもしれない」

テクノポート計画の中止に関わった大阪市の元幹部は振り返る。幻となったその計画を中心に、大阪・関西万博への二つ目の歴史的文脈である、大阪湾岸開発の失敗の歴史を見てみよう。

開発が先行したのは南港（咲洲）だ。戦前に埋め立てが始まり、中断していたのを戦後の58年から再開。一時は70年万博の有力な候補地になり、最後まで千里丘陵と争った。それに続いて、大阪港内でさらに廃棄物や浚渫土の埋め立て処分地を確保することが決まる。大阪市域は狭く、内陸での処分に限界があったからだ。北港北地区（舞洲）は72年、北港南地区（夢洲）は77年から事業が始まっている。埋め立て後の跡地利用はなかなか決まらなかったが、89年に迎える大阪市政百周年記念事業として、83年にテクノポート大阪計画が発表され、88年に基本計画が策定された。

対象地域は、咲洲北部のコスモスクエア地区と舞洲・夢洲の計775ヘクタール。先端技術開発・国際交易・情報通信の三つの機能を核に「国際情報都市」「西日本発展のリーディングゾーン」と華々しく謳った。同時期に旧国土庁が主導した「新しい近畿の創生計画（すばるプラン）」では、関西文化学術研究都市（京阪奈）と神戸港の中間に位置し、両者をつなぐ東西軸のまちづくりが大阪に求められた。その東西軸の西端にあたる湾岸エリアに新都心を作るという構想だったが……。

「咲洲ではATC（アジア太平洋トレードセンター）が94年に、WTCが95年に開業したけど、そこまで。バブル崩壊の影響で入居予定の企業が撤退し、商業テナントで空きを埋めるのが精一杯だった。情報通信といっても、インターネット登場以前の計画。『大阪テレポート』という衛星通信の基地局を作って巨大なパラボラアンテナを設置したけど、すぐに陳腐化した。国際交易にしても、グローバル化の本質を見通せていなかった」

時代の変化を読めないまま過大投資に走った誤りを大阪市元幹部は指摘する。2003年にWTCとATCが経営破綻し、再建を目指して翌04年に成立した特定調停の報告書には、第3セクター方式を安易に採用し、金融機関から過大な融資を受けた▽港湾局、経済局、計画局がそれぞれ所管する3セクから事業報告を受けて判断していた▽そのため市長や助役に説明がなく、市全体としてチェックや評価、見直しをする体制がなかった――などを問題点として挙げている。

だが、市長や助役が事態を把握していたとしても、計画を止められたかどうかは極めて疑わしい。そのことを物語る興味深い文章が報告書にある。バブル経済は崩壊したが、深刻な影響はまだなく、関西国際空港の開港を3年後に控えていた91年当時の市の認識をこう指摘している。

〈景気が低迷しているからこそ大阪経済活性化のための起爆剤として各社の事業が必要であり、（筆者注・経営破綻した）3社の事業を関西国際空港の開港による波及需要に十分応え得る事業とすることが大阪市の使命であり、立場であるとされていた。つまり、景気の先行きがはっきりしないからこそ、政府や自治体は消極的にならず、むしろ開発リスクを負って先導的な開発事業を積極的に推進すべきという立場であった〉（『大阪市特定団体調査委員会報告書』36頁）

先行き不透明だからこそ、リスクを負って積極的に進めるべき――。1990年代初頭から約10年にわたって大阪市が取り組み、惨敗に終わった大阪五輪の招致活動も、これと同じ空気の中で進んでいったのかもしれない。その舞台もまた、湾岸エリアだった。

大阪五輪は91年、財界や自治体で作る「大阪湾ベイエリア開発推進協議会」が都市連合での開催を目標に掲げたが、翌92年、吉本新喜劇から大阪市議に転身してまもない船場太郎（自民）が市議会で取り上げ、西尾正也市長が前向きに答弁したことから市単独の開催案が動き出す。五輪誘致研究会の設置を表明した同年3月の市議会で、西尾は「70年万博、90年花博にまさる国際イベントであり、市民の夢でもある」と述べている。

市はテクノポート計画で文化・レクリエーションゾーンと位置付けた舞洲をメイン会場に、2万戸の住居と6万人の居住を計画していた夢洲を選手村に想定。人工島を橋で行き来する「初の海上五輪」をアピールしたが、市中心部からのアクセスの悪さや財政状況などがマイナス要因となってIOC（国際オリンピック委員会）の評価は一貫して低く、日本政府や国内世論も冷ややか。01年7月のIOC総会ではわずか6票しか獲得できず、立候補5都市中の最下位で落選した。

招致活動に関わり、IOC総会にも出席した元市職員が振り返る。

「大阪は95年にいち早く08年五輪の誘致を打ち出しました。00年大会の招致でシドニーに敗れた北京の動向が焦点でしたが、再立候補はないという情報があったからです。しかし、98年になって北京が手を挙げた。その時点で無理だという雰囲気になりました。初開催を目指す中国に対し、日本は冬季も含めたら3回もやっている。IOCからも立候補取り下げの打診があったと聞きます」

五輪招致活動の大半は、西尾の下で助役を務め、市長職を引き継いだ磯村隆文が担った。トップが代わっても、大都市のプライドか、あるいは「リスクを負って積極的に」の心理か、到底勝ち目がないとわかっていながらも大阪市は招致活動を止められなかった。

海上五輪の夢は潰え、夢洲の利用計画はまた遠のいた。毎日新聞が「テクノポート計画終焉」を報じたのがまさに北京五輪の開催中だったことは、なんとも皮肉な偶然である。

†維新の原点「府庁移転」と「湾岸開発」構想

テクノポート計画撤回を平松市長が正式発表した後、大阪市は咲洲と夢洲の新たな方向性を探る。2009年2月の報告書によれば、咲洲は既存の施設を活かして高付加価値のものづくりを中心にアジアとの交易・交流拠点に。夢洲は廃棄物処分場として引き続き活用しつつコンテナ埠頭を集約し、物流拠点として整備。住宅計画は白紙に戻す——といった内容だ。夢洲はまだしばらく埋め立てが続くため、需要を見極めながら段階的に土地利用を考えていくというスタンスだった。

そこへ時を同じくして、大阪府知事の橋下徹が咲洲への府庁移転構想をぶち上げる。

大阪城の眼前、大手前に建つ府庁本館は老朽化し、巨額を要する建て替えや耐震補強が議論になっていた。それよりも、この時点で二次破綻が確実だったWTCを市から購入し、全面移転すれば、費用は抑えられる。ビルを持て余す市にも歓迎される。橋下は08年8月に平松を訪ね、買い取りの意向を伝えている。橋下には、将来の道州制を見据えて湾岸エリアを「関西州」の州都にしたい、経済特区にしてアジア交易の拠点にしたいという構想があった。カジノ誘致の案も早い段階から口にしていたが、それについては後述する。

橋下は09年2月府議会に庁舎移転条例案とWTC買収予算案を提案するが、明け方までもつれ込んだ審議を経て、いずれも否決。さらに9月府議会に再提案すると、移転条例は再び否決されたものの、WTCを約85億円で購入する予算は可決された。そのため、ビルは買うが全面移転はせず、「大阪府庁咲洲庁舎」として一部部署のみ移転することになった。現在は大阪府市のIR推進局や万博協会も入居している。

ところが、地上55階、高さ256メートルという超高層のWTCビルは11年3月11日、東日本大震災による長周期振動で大きく揺れ、防災上の脆弱性が露呈。橋下は移転理由の一つに主張していた防災拠点としての使用を断念せざるを得なくなった。橋下の指示で庁舎移転計画に奔走し、予算や条例案を取りまとめた元副知事の小西禎一は、後に著書『維新政治の内幕』でこの経緯を批判的に振り返っている。

〈この時点において、咲洲庁舎への移転は将来においてもその可能性がなくなり、大阪府は大手前と咲州という離れた場所に二か所の庁舎を持ち続けることになったのです。民間ビルを間借りしていた「たこ足庁舎」を解消するのだという庁舎移転の目標からすると極

めて皮肉な結末となりましたが、橋下知事はこの後始末をされることなく府庁を去られることになりました〉

そして、橋下が防災拠点を断念した時点で咲洲庁舎を整理し、大手前に集約するしかなかったはずだと主張している。

行政職員の視点では、このように無駄を生んだだけの府庁移転問題だが、政治的には橋下に大きな推進力をもたらす契機となった。地域政党・大阪維新の会の発足である。

橋下のWTC移転案に賛同した府議会自民党の松井一郎ら若手グループが、否決に回った長老議員たちに反発して09年4月に新たな会派「自由民主党・維新の会」を6人で立ち上げた。これが維新のルーツである。1年後の10年4月には橋下が代表、松井が幹事長となって大阪維新の会を旗揚げする。31人の発足メンバーには堺市議だった馬場伸幸（現・日本維新の会代表、衆院議員）もいた。

維新は設立当初から大阪都構想や「ワン大阪」を掲げ、府市統合を一丁目一番地の政策目標とするが、その原点をたどって行けば、府庁移転問題と湾岸エリアの開発構想に行き着くのだ。

それを踏まえれば、維新が無駄な二重行政の象徴として、大阪市のWTCビルと、大阪府が建設し、やはり破綻したりんくうゲートタワービル（泉佐野市、96年竣工。高さ256・1メートル）の高さ争い――「府と市がビルの高さを競い合い、わずか10センチ差で府が勝ったが、建設費が膨らみ、ともに破綻。これぞ府市合わせ（不幸せ）、税金の無駄使いの象徴だ」という主張――を事あるごとに持ち出すのも、いかにもな話だ。

なお、両ビルの破綻については先の小西元副知事が私の取材に対し、「二重行政の問題ではない」と明確に否定している。20年11月の二度目の都構想住民投票を前に公開した記事から引用する。

〈りんくうビルは、関西国際空港（1994年開港）の玄関口となる「りんくうタウン」構想の一環で、一方のWTCビルは市が臨海部に新都心整備を目指した「テクノポート大阪」計画により建設された。いずれもバブル期に、それぞれ単独で行った開発投資の失敗だという。

「建設目的や機能も異なり、二つ建てたから失敗したわけではありません。一つでも大きな失敗です。バブル景気に踊り、甘い見通しで過大な投資をした政策の誤りは反省しないといけませんが、二重行政とは関係ない。仮に当時、首長が一人だったら、過大投資を防げたのでしょうか」〉（『現代ビジネス』2020年10月27日）

†夢洲開催案は本当に検証されたのか

府庁移転にせよ、二重行政批判および都構想にせよ、行政サービスとしてもコストや効率の面でも合理性のない施策を「改革」や「成長」に必須であると主張し、政治力で強引に進める——こうした維新の手法は、万博においても繰り返されてきた。

万博の開催そのものもそうだが、準備段階でさまざまな問題が噴出し、迷走している最大の原因はやはり夢洲を会場に選んだことにある。なぜ、どういう経緯で決まったのか。第1章で木下記者が検証しているが、本章でも違う角度からあらためて見ていきたい。

まず、今万博の発案者と言える堺屋太一は万博記念公園（吹田市）での開催を主張していた。2014年7月、同公園運営審議会での発言録にある。堺屋は、公園が十分活用されておらず、利用者が少ないことに不満を述べ、最も効果的な跡地利用として「2025年に『新日本万国博覧会』を計画しては」と提案。「道路、モノレールをはじめ水道、電力、通信などのインフラは間近まで整っている。何よりも十分に育った緑地と日本庭園が活用できる」と利点を挙げている。つまり堺屋は、自身の功績と誇る70年万博の遺産を再び輝かせるため、同じ場所での開催を望んでいた。

ところが、知事の松井は府全域での候補地検討を指示。府が有識者との誘致構想検討会に北部・中部・南部の各2カ所ずつ候補地を例示したが、16年6月の「松井試案」でそれまで候補地になかった夢洲が浮上。そこへ誘導する流れができ、同年10月には夢洲で固まった――という経緯は第1章の通りだ。なぜ夢洲かと言えば、先に誘致が決まっていたIRに合わせ、インフラ整備や集客面での「相乗効果」を狙ったというのは、松井試案や有識者会議の議事録からも明らかだろう。

つまり、よく言われるように、松井や橋下が主導した「カジノありきの万博」であることはほぼ間違いない。だが、第2章で森山高至氏が指摘するような地盤沈下や土壌の問題など、土木・建築の視点から慎重論は出なかったのだろうか。

調べていくと、万博誘致委員会がまとめた『誘致活動の軌跡』に関連する記述があった。〈夢洲については、検討時点では、埋め立て途上であることや来場者の輸送に欠かせない鉄道が未整備である等の課題があったため、整備等部会における議論と並行し、竹内大阪府副知事、田中大阪市副市長をトップとした「府市技術検討会」を設置（2016［H28］年6月28日）し、夢洲までの交通アクセスや会場用地の埋め立てなどの技術的課題の検討・整理を行いました〉

ここに名前の出てくる竹内廣行副知事、田中清剛副市長はともに京都大学大学院工学研究科土木工学専攻修了。それぞれ府と市で技術系の職歴を重ね、橋下・松井・吉村の維新首長を支えた後、万博協会の副事務総長を務めている。竹内は19年から23年まで、田中は23年に就任し、現職だ。

その2人がトップの検討会は、以下の4つの理由で夢洲に正式決定したという。

一部急速施工は必要となるが、更地で100ヘクタールが確保できる▽国際観光拠点に向けた夢洲まちづくり構想があり、大阪・関西の成長にベイエリアの発展は重要▽地下鉄の延伸（北港テクノポート線）計画があり、シャトルバスでの来場者輸送も可能▽大阪市内から西へ10㎞と比較的近く、関西圏諸都市の宿泊・サービス施設も活用できる。

驚いたことに、夢洲の地盤や土地条件から予測・懸念される問題——軟弱地盤への対応や地盤沈下、地中の廃棄物や障害物の影響、液状化、メタンガス発生など——への言及が何もない。これで技術的課題の検討を行ったと本当に言えるのだろうか。第1章で有識者の検討会議が「夢洲誘致のアリバイづくり」に見えるという指摘があったが、この府市技術検討会の印象も同じだ。土木や都市整備のエキスパートも、松井の政治的思惑に引きずられ、追認しただけではないのか。

府庁の中で松井の指示がどう伝わり、何が議論されたか確認するために情報公開請求も行ったが、詳細がわかる文書は開示されなかった。新たな情報といえば、14年10月に大広へ、15年5月と16年5月に日建設計総合研究所へ候補地の評価を含めた調査を府が発注しており、最初の大広の報告書から7つの候補地の中に夢洲が入っていたことぐらいだ。ただし、府が有識者との会議で当初例示した6ヵ所には採用されていないところを見ると、現実味のない案と見られていたのだろう。松井が主張するまでは。

最終的には「鶴の一声」を発した当人に確認するしかない。私は木下記者と連名で松井と橋下に取材を申し込んだが、実現しなかった。ちょうど取材交渉をしている頃、公明党の辻義隆・大阪市議が〈なぜ、松井さんが万博会場を夢洲にセットしたかったのかが、未だに謎なんですよね〉とX（旧ツイッター）に投稿したのを引用して、松井自身がこう書いていた。

〈何故か？　辻さん、自公民の大阪市議会でオリンピック誘致失敗、そのまま空き地では余りに勿体無いからです。〉（24年5月1日）

埋め立て後の土地利用が定まらない夢洲を「負の遺産」と最初に断じたのは大阪市長時代の橋下だとされ、IR誘致によって「一挙にプラスに切り替わる」とアピールしてきた。

松井も同じ主張を繰り返している。しかし、先に経緯を記した通り、テクノポート計画撤回後の夢洲は、廃棄物処分場として引き続き活用しつつ、物流や港湾機能を強化する方針ができ、実際に整備が進んできた。「負の遺産では決してない」という声は今も根強い。

土地の悪条件も顧みず、万博やIRという見た目に派手な、政治的にアピールしやすいイベントや集客施設の計画を性急に進めてきた結果が、現在の混乱状況ではないだろうか。

大阪IR——少数の推進派と大多数の無関心

「博覧会」の成功体験。「湾岸開発」失敗の記憶。大阪の街にまつわる二つの歴史の流れをここまで見てきた。その二つを結びつけるのが、三つ目の文脈の「カジノ」ということになる。IR（統合型リゾート）という名前で2030年にやってくる予定になっている施設は、華々しく成功を収めるか、失敗して烏有に帰すか、まだわからない。

その計画の端緒を報じたのは09年9月15日の読売新聞朝刊。〈WTC周辺　カジノ構想／大阪府・市きょう提案／庁舎移転を後押し〉という記事だった。

先述した大阪府庁の移転問題がもつれていた時期。橋下知事は府議会で一度否決されたWTCへの全面移転を再提案する意向で、平松市長がこれを後押しするため府・市と経済界による「夢洲・咲洲地区まちづくり推進協議会」の設立を呼びかけた。この日開かれる初会合で、知事と市長がカジノの誘致と周辺を「国際集客特区」にすることを提案するという、いわゆる前打ち記事だった。

ふたを開けると、橋下知事は記事の通り、「カジノが一つのキーワード。重要な視点になる」とぶち上げたものの、平松市長と関西経済連合会の下妻博会長はともに消極的だった。府と市の足並みが揃っているように読める読売の記事は、橋下・府庁サイドからの情報で書かれたのだろう。

大阪でカジノ構想を公言した知事は、実は橋下が初めてではない。一代前の太田房江知事が02年、関西国際空港と対岸のりんくうタウンを「国際交流特区」にして、カジノ開設を目指す考えを政府に提案したことがある。さらに前の90年代末、大阪市の港湾局長から助役まで務め、国際派で知られた幹部が、カジノ誘致の可能性を検討するよう庁内に指示していたという証言もある。99年に東京都知事になった石原慎太郎が盛んに唱えた「お台場カジノ構想」に刺激されたのかもしれないが、当時は法律もなく、機運も盛り上がらず、あっさり立ち消えになった。

ところが同じ頃、世界のカジノ事情や経済効果を研究し、日本でも開設を目指す動きが民間から起こり、これが脈々と続いていく。

一つは、03年に設立された「ギャンブリング＊ゲーミング学会」。大阪商業大学の谷岡一郎学長が会長を務め、同大学内に事務局を置いた。現在は「ＩＲ＊ゲーミング学会」に改称しているが、政府や自治体にカジノやＩＲについて提言・助言するという目的は当初から変わらない。毎年の学術大会やシンポジウムには研究者のほか、国内外のカジノ・ゲーム会社、観光や広告業界の関係者、それに自民・旧民主・維新など超党派のカジノ議連から国会議員も数多く登壇・参加している。

10年の大会には、当時の橋下知事が登壇。その過激な物言いが物議を醸した。

「ギャンブルを遠ざけるがゆえ、坊ちゃん嬢ちゃんの国になった。小さい頃からギャンブルをしっかり積み重ね、全国民を勝負師にするためにも、カジノ法案を通してください」

「増税よりカジノ。収益の一部は教育、福祉、医療に回す。隣の兵庫県知事が反対しても無視だ。猥雑なものは全部、大阪が引き受ける」

もう一つの民間の動きは、関西経済同友会の研究会と提言だ。当時の同友会の内情に詳しい金融関係者は言う。

「当初はカジノやギャンブル好きの中小企業経営者たち数人の趣味的な集まりだったのが、

前のめりの橋下氏に呼応するようにＩＲ部会ができ、やがて同友会としてＩＲ開設を提言するようになっていきました。２０１０年代前半は、中国などアジア諸国の成長でこれから増えるインバウンドをどう取り込むかが課題だったので、観光振興にも合致したんでしょう」

同友会は12年3月に初めてＩＲの誘致を提言。この時は舞洲を想定していたが、大阪府・市が候補地を夢洲に決めた後の15年1月には、これに合わせ、あらためて提言書『「大阪・関西らしい世界初のスマートＩＲシティ」の実現に向けて』を取りまとめた。夢洲をモデルにきらびやかなイメージ図を展開し、こう高らかに謳う。

〈大阪・関西ＩＲ――それはラグーン（筆者注・水深の浅い池）を抱き、アジア・太平洋に開かれた「水の都・大阪」の新しいシンボルであり、そして世界最高水準の良質な環境に囲まれた、まさにドリーム・アイランドなのである〉

もちろん、これほどの熱量でＩＲを歓迎する人は大阪でも少数派だ。いくら維新の一強状態が長く続いているとはいえ、カジノへの懐疑や嫌悪感、ギャンブル依存症の懸念は根強く、維新の議員も「ＩＲは人気がない」と、しばしばぼやいている。だが、一部の熱心な声や働きかけに応えるようにして、維新首長はＩＲを大阪の成長戦略の目玉に位置づけ、アピールしてきたのである。

16年にＩＲ推進法が国会で成立すると、17年には大阪市がＩＲを核とする「夢洲まちづくり構想」を策定。21年には、公募に唯一参加していたＭＧＭ・オリックスの共同グループが事業者に決まる。国の認定作業は大幅に遅れていたが、23年4月の統一地方選の大阪の各選挙で維新が圧勝し、大阪市議会まで過半数を取ると、それを合図とするように区域整備計画が認定されたのだった。

その統一地方選で反維新側の候補者たちは大阪ＩＲ計画の危うさや不透明さを指摘し、「ＩＲを止める最後のチャンス」と訴えたが、大きな関心は呼ばなかった。私が取材した範囲では「夢洲は遠くて実感がない」「自分の生活にどう関係あるのかわからない」という有権者が多かった。

こうして大阪ＩＲも、万博と同じようにほとんど関心を持たれないまま、この先もなんとなく進んでいくのだろうか。

†万博を狂わせたＩＲの誤算——橋爪教授の見解

前項で述べた大阪のＩＲをめぐる動きのほぼすべてに関わり、推進してきた一人が、本

章前半で博覧会の歴史を語っていた橋爪紳也・大阪公立大学特別教授である。先述のIR
＊ゲーミング学会では副会長、大阪府・市では特別顧問を長く務めている。

橋爪は2007年11月、大阪市立大学教授の職を辞して大阪市長選に出馬。平松に大差で敗れたが、その2カ月後に府知事に当選した橋下から要請を受けて政策アドバイザーに就任。まちづくりや観光の分野でさまざまな提言をしてきた。IRについても早くから伝えていたという。

「私自身はシンガポールがカジノ解禁を決めた05年頃からIRに関心を持っていました。ギャンブル自体ではなく、民間投資を呼び込み、劇場やホールやMICE（国際会議や展示会の施設）を備えたエンタメ都市、新しい国際観光地を造る手段として。カジノをまちづくりのエンジンに利用するということ。大阪でも検討するべきだと橋下さんに説明し、10年にはシンガポールのIRを視察に行ってもらったりした」

そのシンガポール視察から半年後の10年7月、府庁に「大阪エンターテイメント都市構想推進検討会」が立ち上がり、橋爪が座長となる。目的は、IRの立地準備として場所やコンセプトを検討すること。第1回会合で橋下は「大阪湾ベイエリアのどこかにあればいい」と語っている。この時点ではWTC周辺案に平松市長が難色を示していたため、大阪市外へ視野を広げたのだろう。一時は岸和田市の貯木場跡を有力候補と語ったこともある。

だが11年に仕掛けたダブル選挙で橋下が平松を破って大阪市長に、松井が府知事に就任。維新首長の下で「府市一体」体制ができると、IR構想は大阪市内の湾岸エリアに回帰する。14年4月にIR候補地が夢洲に決定。追いかけるように万博誘致が動き出し、16年6月の「松井試案」を経て、同年10月に会場を夢洲とする万博基本構想が策定された。

ここでIRと万博は正式に夢洲で結び付いたわけだが、この場所選定を橋爪はどう見ているのだろうか。繰り返し書いてきた通り、万博準備の混乱の多くは夢洲という場所に起因している。夢洲を選んだのは失敗だったのではないか——。

「いや、IRは市街地の真ん中では激しい反対が予想されて難しい。都心からやや離れた埋立地、国際空港や展示場の隣など都市の外縁部に造るのは海外でも普通です。夢洲はもう少し近ければベストだが、あり得ない選択ではない。

万博会場については、誘致構想検討会の事務局（府庁）が、候補地の面積や地形、周辺環境など諸条件を検討した結果、夢洲のIR隣地が浮上し、そこに決まった。過去に開発が失敗したベイエリアとIR・万博を結び付けたのは（橋下・松井の）政治的判断だろうが……」

ベストではないが、あり得なくはない。万博会場は政治的判断を受けた事務局案……とは、意中の場所が他にあったようにも聞こえるが、いずれにせよ、夢洲という選択が混乱を招いたのは確かではないか。重ねて問うと、橋爪は自身の見解をこう説明した。

「今の混乱は、工事の順番が入れ替わってしまったのが最大の原因。17年の夢洲まちづくり構想では第1期工事でIRができ、次の第2期工事で万博会場建設と閉幕後の跡地整備をやっていく予定だった。IR工事で鉄道や道路、水道などのインフラが整い、万博工事でもそれが使える。跡地もいったん更地に戻すなどの無駄が生じないよう、先に用途を決めておく計画だった。それが国のIR認定スケジュールが遅れに遅れ、コロナ禍も重なって、ある時期から逆転し、跡地利用も決まらないまま、先に万博をやることになってしまった」

確かに最初期のIR構想は20年開業が目標だった。橋爪がアドバイザーとして関わった市の夢洲まちづくり構想──「SMART　RESORT　CITY」というコンセプトや土地利用方針、工事スケジュールなどを定めた──でも、24年開業を想定していた。つまり、IRという「国際エンタメ拠点」が先に開業し、それを盛り上げる「お祭り」として25年万博が開かれる予定だったのだ。ところが現在では、IRは30年秋開業までずれ込んでいる。当初の見込みから10年遅れたわけだ。

見込み違いは開業時期だけではない。IRの公募に手を挙げたのがMGM・オリックスだけだったため、事業者側が有利になり、さまざまな面で「優遇」を疑われる状況が生じている。

たとえば、歴代の維新首長は「IRは民設民営だから公金は使わない」と胸を張ってきたが、液状化対策などの地盤改良工事に大阪市が最大788億円の公金（港湾会計）を拠出することが決まった。「市は土地を貸し、賃料をもらうだけ」とも盛んに言っていたが、賃貸契約をめぐっては、安すぎる賃料設定と不自然な土地鑑定の経緯が報道で明らかになっている。

さらには、IR事業者が困難と判断した場合に撤退できる契約の解除権が26年9月まで延長され、不安定な状態が続く。コロナ禍でオンラインカジノへの移行が加速したことも懸念材料だ。

こうした不安材料を指摘すると、「確かにある」と橋爪は認める。万博についても、自らが関わった構想段階のイメージ通りに進んでおらず、「忸怩たる思い」だという。しかし同時に、今はもうそんなことを言っている段階ではない、と打ち消す。

「判断が遅い、別の方法を探せ、計画を縮小するべきなどと批判してどうにかなる時期はもう過ぎている。開幕に間に合うのかとメディアは言うが、そんな問題じゃない。国際条約に基づいて政府が誘致し、各国に開催を約束した国際博覧会です。来年4月になれば始まるんです。パビリオンが全部できていなくても、参加を見送る国があっても、展示に目玉がないと言われても、それが大阪・関西万博の開幕なんです」

橋爪への取材は、まもなく開幕1年前になる頃だった。その時点でも関係者の危機感が足りないと言い、原因をこう指摘した。

「万博もIRも根本的な問題は、開催や開業自体が目的になってしまっていること。そうではなく、より重要なのは大阪という都市全体の中長期のビジョンを描き、形にしてゆくこと。いかなるイベントも、目的を達成するための手段でしかない。万博もIR開業も、将来の都市構想を形にするための布石であるはず。万博の最大のレガシーとなるべきは国際都市としての経験値であり、大阪は万博を契機にアジアで存在感ある国際都市として発展することが求められる。

1970年の万博以降、大阪は活力を失ってきた。バブル崩壊でベイエリアの事業計画の多くが途中で止まり、未達に終わった。今こそ、将来の都市像の中に、エンターテインメント都市となりうる湾岸部をどう位置づけていくのかを考えるべき。大阪都市圏の再活性化を必ず実現させないといけない。90年代と同じ失敗を繰り返してはならないんです」

†「過去の成功体験」が「同じ失敗」を呼ぶ懸念

橋爪の語りには、2025年大阪・関西万博へと至った大阪の歴史的文脈が凝縮されている。すなわち本章で見てきた「博覧会の成功体験」「湾岸開発失敗の記憶」「カジノ（IR）に賭ける未来」である。その三つの流れが維新一強という政治状況によってつに束ねられ、現実化していったというのは最初に述べた通りだ。

それだけに、まず言えるのは大阪・関西以外では理解されにくいだろうということだ。大阪の国際都市としての発展、大阪湾岸部のエンタメ化、大阪都市圏の再活性化といった特定地域の利益や発展のために万博という国家事業をやるのだと言われても、関心を呼ばないどころか、反発さえ生むのではないか。ちょうど維新が「大阪の利益代表」と見られているがゆえに関西では強いが、全国政党化には限界を指摘されてきたように。

万博の影響力を高く見積もり過ぎではないか、という疑念もある。1994年のBIE決議以降、「課題解決型」となった万博そのものの意義については、とりあえず措く。しかし、イベントとしてそこまで魅力的で、集客効果があるのか。ましてや、都市の形を変えるほどのインパクトがあるのか。確かに明治の内国博や70年万博は大盛況を博し、大阪の姿を変えた。80年代には神戸ポートピアやつくば万博など地方博ブームがあり、各地に新都市やニュータウンが出現した。だがそれらはいずれも人口が増え、経済が成長し、都市が郊外へと拡大していった時代の産物だった。

大阪では近年、うめきた（大阪駅北側の旧梅田貨物駅跡地）に象徴されるように都心部の再開発が進み、居住エリアも都心回帰の傾向だ。人口減少と高齢化が進む今後はますますそうなるだろう。その中で、日本初のIRを核とする国際エンタメ拠点とはいえ、遠く離れた人工島の、イベント頼みの新都市づくりが順調に運ぶとは思えない。

「90年代と同じ失敗を繰り返してはならない」と橋爪が言うのは、経営感覚のない行政が主導し、3セクを使って過大投資に走った手法を指している。だが、今回の取材の中で複数の人から「大阪はかつてと同じ失敗を繰り返しつつある」という指摘を聞いた。それは行政か民間かという事業主体や手法の問題ではない。都市の移動軸、つまり人の自然な流れに抗って人為的に湾岸部へ誘導を図り、東西軸のまちづくり――それは90年策定の「大阪市総合計画21」にも描かれていた――を進めようとする都市政策への懸念であり、堺屋の唱えたイベント指向型政策によってこれを実現しようとする維新政治への危機感だった。

近年、世界の五輪開催地や候補地で反対運動が激しくなっているように、都市の財政や居住環境が悪化し、経済的格差が拡大していく時代にあって、「祝賀資本主義」（J・ボイコフ）の推進装置であるメガイベントはデメリットの方が大きいと人びとは気づき始めているのではないか。

だが、大阪ではそんな時代潮流に関係なく、過去の成功体験にとらわれた一部の人たちが「成長の起爆剤」だと喧伝し、不都合に目をつむって万博を強行する。それでも大半が無関心のまま、誰も止めることができない。そして、維新首長の下で府市が一体化し、政治と行政の間の線引きも失われた今の状況では、おそらく誰の責任も問われない。

大阪が置かれたその状況こそ、大阪・関西万博「失敗」の本質であろう。

参考文献

全体

朝日新聞、毎日新聞、読売新聞、日経新聞、産経新聞等に2013年～2024年に掲載された「大阪・関西万博」、「大阪IR」関連記事（ネット掲載記事を含む）
EXPO 2025 大阪・関西万博公式 Web サイト https://www.expo2025.or.jp

第1章

特集「大阪・関西万博の何が問題か」『市政研究2024冬222号』大阪市政調査会、2024年
大阪府「2025年万博基本構想検討会議全体会議議事録」2016年
大阪府「2025年万博基本構想検討会議整備等部会議事録」2016年
木下功「大阪・関西万博を問う」『週刊エコノミスト・オンライン』2024年
国生剛治『液状化現象——巨大地震を読み解くキーワード』鹿島出版会、2009年
小西禎一・塩田潤・福田耕『維新政治の内幕——「改革」と抵抗の現場から』花伝社、2023年
塩田潮『解剖　日本維新の会——大阪発「新型政党」の軌跡』平凡社新書、2021年
日本弁護士連合会編『公文書管理——民主主義の確立に向けて』第1章、明石書店、2019年
日野行介『情報公開が社会を変える——調査報道記者の公文書道』ちくま新書、2023年
防災行政研究会編『逐条解説　災害対策基本法〈第四次改訂版〉』ぎょうせい、2024年
松井一郎『政治家の喧嘩力』PHP研究所、2023年

松本創『誰が「橋下徹」をつくったか――大阪都構想とメディアの迷走』（140B、2015年）
山口勝己『「維新」政治と民主主義――分断による統治から信頼でつなぐ自治へ』公人の友社、2023年

第2章

大阪広域環境施設組合HP
https://www.osaka-env-paa.jp/index.html
大林組社史編集委員会編『大林組百年史――1892―1991』大林組、1993年
環境省「ポリ塩化ビフェニル（PCB）早期処理情報サイト」
http://pcb-soukishori.env.go.jp/about/background.html
関西エアポート「関西国際空港　沈下の状況――沖積層／洪積層の沈下の特徴」
http://www.kansai-airports.co.jp/efforts/our-tech/kix/sink/sink3.html
竹中工務店九十年史編纂プロジェクトチーム編纂『竹中工務店九十年史――1899―1989』竹中工務店、1989年
平野暁臣『大阪万博――20世紀が夢見た21世紀』小学館、2014年

第3章

「週刊文春」2020年6月11日号、2023年1月4・11日号、2024年2月8日号、同15日号
江藤光紀「パビリオンを読む――つくば科学博における『環境』」『論叢現代語・現代文化』2021年1月号
粟原信征「国際博覧会と広告会社の役割」『JAAA REPORTS』2005年1月号
堀野正人「観光イベントとしての博覧会――ポートピア'81を事例として」『地域創造学研究』第22巻第3号、2012年
淀野隆「私の万博体験――モノとヒトの出会いのドラマ」『日本ペンクラブ　電子文藝館』2009年6月11日

第4章

Bureau International des Expositions "World Expos"
https://www.bie-paris.org/site/en/about-world-expos

The Guardian "Is Expo out of steam?"
https://www.theguardian.com/world/2000/oct/31/worlddispatch

朝日新聞「大阪万博とＩＲの経済効果、２・６兆円　日本総研が試算」朝日新聞デジタル、２０１７年12月１日
https://digital.asahi.com/articles/ASKCZ52G8KCZPLFA009.html

朝日新聞「大阪の万博経済効果、試算を「府人口で割ると」１人あたり約24万円」朝日新聞デジタル、２０２４年３月12日
https://digital.asahi.com/articles/ASS3D66MPS3DOXIE017.html

一般財団法人アジア太平洋研究所「大阪・関西万博の経済波及効果――最新データを踏まえた試算と拡張万博の経済効果」APIR Trend Watch No. 92、２０２４年１月24日
https://www.apir.or.jp/wp/wp-content/uploads/APIR_Trend_Watch_No.92_2024-01-24_final-2.pdf

観光庁「旅行・観光消費動向調査２０２３年年間値（確報）」２０２４年４月30日
https://www.mlit.go.jp/kankocho/topics02_00005.html

関西大学「宮本勝浩　関西大学名誉教授が推定　東京オリンピック・パラリンピックの経済効果と赤字額」関西大学プレスリリースNo. 21、２０２１年８月26日
https://www.kansai-u.ac.jp/global/guide/pressrelease/2019/No82.pdf

関西テレビnewsランナー「「万博」のギモン　安藤優子・田村淳が吉村知事を直撃　赤字になったら？　間に合う？　誰の意向で夢洲？」２０２３年12月27日
https://www.ktv.jp/news/feature/231226-yoshimura-ando-tamura/

公益社団法人2025年日本国際博覧会協会「臨時理事会会議資料」2024年2月6日
https://www.expo2025.or.jp/wp/wp-content/uploads/20240206_rijikaisiryor2.pdf
公益社団法人2025年日本国際博覧会協会「臨時理事会会議資料」2023年12月14日
https://www.expo2025.or.jp/wp/wpcontent/themes/expo2025orjp_2022/assets/pdf/association/20231214_01_documents.pdf
産経フォト「世界の味が一堂に　人気集める日本館」2015年7月10日
https://www.sankei.com/photo/story/news/150701/sty1507010001-n1.html
CRI Online「〈上海万博〉当日入場券と夜間入場券を販売」2010年5月6日
https://japanese.cri.cn/881/2010/05/06/147s158343.htm
ジェトロ「ドバイ万博、チケット販売を開始（アラブ首長国連邦）」ビジネス短信、2021年7月19日
https://www.jetro.go.jp/biznews/2021/07/00d61d3bf439c7c.html
善教将大『維新支持の分析——ポピュリズムか、有権者の合理性か』有斐閣、2018年
善教将大『大阪の選択——なぜ都構想は再び否決されたのか』有斐閣、2021年
畑農鋭矢・林正義・吉田浩『財政学をつかむ　第3版』有斐閣、2024年
林宜嗣「第11章　産業連関表で経済波及効果を計測しよう」林宜嗣・山鹿久木・林亮輔・林勇貴『地域政策の経済学』日本評論社、2018年
毎日新聞「25年万博：4都市の争い　誘致合戦激化へ」大阪朝刊社会面29頁、2017年5月23日
松井一郎【スナック松井】「松井一郎×橋下徹が本音トーク【スナック松井】万博の開催意義」2024年1月15日
https://www.youtube.com/watch?v=shy8cw2k1ak
吉弘憲介『検証　大阪維新の会——「財政ポピュリズム」の正体』ちくま新書、2024年
吉村洋文・松井一郎・上山信一『大阪から日本は変わる——中央集権打破の突破口』朝日新書、2020年
読売新聞「「万博の華」のパビリオン、20か国減の40か国程度の見通し…返上の予定地は「芝生の広場」に」読売新

聞オンライン、2024年4月14日
https://www.yomiuri.co.jp/expo2025/20240413-OYT1T50210/
りそな総合研究所「プレスリリース「大阪万博の開催による経済波及効果」」2018年11月26日
https://www.rri.co.jp/chiiki/pdf/release181126.pdf
WIRED「万国博覧会の時代は終わった?」2000年6月13日
https://wired.jp/2000/06/13/%E4%B8%87%E5%9B%BD%E5%8D%9A%E8%A6%A7%E4%BC%9A%E3%81%AE%E6%99%82%E4%BB%A3%E3%81%AF%E7%B5%82%E3%82%8F%E3%81%A3%E3%81%9F%EF%BC%9F/

第5章
『新修大阪市史　第8巻』1992年
『新修大阪市史　第6巻』1994年
『新修大阪市史　第9巻』1995年
『大阪人』2000年5月号「特集　万博30年」
『月刊島民　中之島』2010年3月号「特集　大阪万博メモリーズ」
『大阪春秋』2010年秋号「特集　大阪と博覧会」
『WEDGE』2011年1月号
『文藝春秋』2024年3月号
『大阪市特定団体調査委員会報告書』2004年
『咲洲・夢洲地区のまちづくりについて（咲洲プロジェクト報告書）』2009年
一ノ宮美成+グループK21『京都の裏社会——山口組と王将社長射殺事件の聖域』宝島社、2016年
小笠原博毅・山本敦久編『反東京オリンピック宣言』航思社、2016年
加藤政洋『大阪——都市の記憶を掘り起こす』ちくま新書、2019年

関西経済同友会『「大阪・関西らしい世界初のスマートIRシティ」の実現に向けて――コンセプトの提言』２０１５年
小西禎一・塩田潤・福田耕『維新政治の内幕――「改革」と抵抗の現場から』花伝社、２０２３年
小松左京『やぶれかぶれ青春期・大阪万博奮闘記』新潮文庫、２０１８年
堺屋太一『地上最大の行事　万国博覧会』光文社新書、２０１８年
塩田潮『大阪政治攻防50年――政党・維新と商都興亡の戦後史』東洋経済新報社、２０２２年
日本経済新聞社編『万国博のすべて』日本経済新聞社、１９６６年
２０２５日本万国博覧会誘致委員会『ＥＸＰＯ２０２５　大阪・関西万博誘致活動の軌跡』２０１９年
橋爪紳也『大阪万博の戦後史――ＥＸＰＯ'70から２０２５年万博へ』創元社、２０２０年
橋下徹『大阪都構想&万博の表とウラ全部話そう』プレジデント社、２０２０年
橋下徹、堺屋太一『体制維新――大阪都』文春新書、２０１１年
畑中章宏『五輪と万博　開発の夢、翻弄の歴史』春秋社、２０２０年
原武史『「民都」大阪対「帝都」東京　思想としての関西私鉄』講談社学術文庫、２０２０年
松井一郎『政治家の喧嘩力』ＰＨＰ研究所、２０２３年
松本創「「大阪都構想」の決定的なダメっぷり……大阪の「元副知事」が実態を証言する」現代ビジネス、２０２０年10月27日
https://gendai.media/articles/-/76760
吉村洋文、松井一郎、上山信一『大阪から日本は変わる』朝日新書、２０２０年

関連年表

万博計画以前	
1977年9月	大阪市が埋立免許を取得し、夢洲の造成開始。当時は「北港南地区」と呼ばれ、91年に一般公募で咲洲・舞洲とともに愛称が決定
1983年8月	人工島3地区（後の咲洲・舞洲・夢洲）に新都市を作る「テクノポート大阪」計画発表。北港南地区（夢洲）は昼間人口10万７０００人、居住人口6万人を想定
1995年3月	舞洲をメイン会場、夢洲を選手村とする大阪市のオリンピック招致活動開始。２００8年開催を目指し、「世界初の海上五輪」とＰＲ
2001年7月	ＩＯＣ総会で２００8年は北京五輪に決定。大阪市は立候補5都市で最下位
2002年8月	夢洲と舞洲の間に夢舞大橋が開通
2003年6月	咲洲の大阪市3セクＷＴＣ、ＡＴＣが経営破綻。翌04年、特定調停が成立
2008年9月	テクノポート大阪計画を撤回。平松邦夫市長が「終焉」宣言
2009年3月	ＷＴＣが二次破綻。会社更生法を申請、適用される
2009年8月	夢洲と咲洲を結ぶ夢咲トンネルが開通
2009年9月	橋下徹知事が府庁移転を目指していたＷＴＣ周辺へのカジノ誘致を提唱。府市と経済界の「夢洲・咲洲地区まちづくり推進協議会」初会合で

2010年6月	WTCが大阪府に譲渡され、大阪府咲洲庁舎となる。後に万博協会も入居
2013年6月	日本維新の会がIR推進法案を提出。以後、継続審議・廃案・再提出を繰り返す
2013年12月	大阪府市IR立地準備会議設置
2014年4月	大阪府市が「IR立地基本コンセプト案」で候補地を夢洲に決定
2014年8月	大阪維新の会・みんなの党の府議団が2025年の国際博覧会誘致を提案 松井一郎知事が担当部局に誘致検討を指示
万博開催決定まで	
2014年10月	大阪府市と経済界が「夢洲まちづくり構想検討会」設置
2015年8月	大阪府市と有識者の万博誘致構想検討会が候補地6カ所を公表。夢洲は入らず
2016年6月	松井知事が「私の試案」として夢洲開催案を発表 テーマは「人類の健康・長寿への挑戦」
2016年10月	夢洲を万博会場とする基本構想を策定。翌11月に国へ提出
2016年12月	IR推進法が自民と日本維新などの賛成多数で可決・成立
2017年3月	経産省有識者検討会でメインテーマが「いのち輝く未来社会のデザイン」に 万博誘致委員会が発足し、ダウンタウンがアンバサダーに就任
2017年4月	BIEに立候補届け出。他にフランス、ロシア、アゼルバイジャンが立候補 フランスは後に取り下げ

2017年8月	ＩＲを核とする「夢洲まちづくり構想」を大阪市が策定
2018年11月	ＢＩＥ総会で２０２５年万博の大阪開催が決定
万博開催決定以降	
2019年1月	国・大阪府市・地元経済界で「２０２５年日本国際博覧会協会（万博協会）」発足。元経産省審議官でＪＥＴＲＯ理事長の石毛博行氏が事務総長に就任
2019年4月	大阪府市がＩＲ推進局設置。２０２４年開業を目指し、事業コンセプト募集
2020年12月	万博協会が基本計画策定。来場者２８２０万人、参加国１５０カ国を見込む 会場建設費は当初計画の１２５０億円から１８５０億円に増額 ３５０億円の木造リング建設費、資材・人件費の高騰などが原因
2021年9月	ＩＲ事業者がＭＧＭ・オリックスの共同グループに決定。公募に唯一参加していた
2022年4月	開幕３年前。大阪府市が万博推進本部設置 万博協会は前月に発表した公式キャラクターの愛称を公募
2022年7月	開幕１０００日前。公式キャラクターの愛称が「ミャクミャク」に決定 ＩＲの賛否を問う住民投票実施を求める署名21万筆を住民団体が吉村洋文知事に提出（条例制定の直接請求）するも、府議会で否決
2023年4月	夢洲のＩＲ区域整備計画を国が認定。２０２９年秋冬の開業を予定

2023年6月	海外パビリオン建設遅れが表面化。日建連会長の懸念表明など報道相次ぐ 万博協会は8月に入り、簡易型のタイプXを提案
2023年9月	夢洲のIR開業予定が1年遅れ、2030年秋に。大阪府市とIR事業者の実施協定では23年秋から液状化対策工事、25年春から施設の建設工事に着手予定
2023年10月	会場建設費が500億円増の2350億円に。二度目の増額で当初の約2倍になる。資材・人件費の高騰が原因
2023年11月	開幕500日前。前売り入場券の販売スタート。目標枚数は1400万枚
2023年12月	運営費が809億円から1160億円に膨らむことが判明。人件費や警備対策で 政府は関連するインフラ整備費を含めた全体像を9・7兆円と公表
2024年1月	海外パビリオンで初のシンガポールが着工 相次ぐ万博予算膨張の対策として、政府が監視委員会を設置
2024年3月	会場工事現場で爆発事故が発生。施設の一部が破損 地中の廃棄物からメタンガスが発生し、火花が引火した可能性
2024年4月	開幕1年前。前売り入場券の販売数は130万枚で、目標の1割未満 参加国が自前で建設するタイプAパビリオンは着工済みが14カ国。当初予定60カ国が約20減の40施設前後になると吉村知事が見通し

執筆者一覧

木下功（きのした・いさお）**第1章**
１９６２年生まれ。ジャーナリスト、元大阪日日新聞記者。大阪日日新聞在籍時は、「大阪都構想」「カジノ・ＩＲ」「大阪・関西万博」「中小企業」などのテーマ記事を多く手がけた。

森山高至（もりやま・たかし）**第2章**
１９６５年生まれ。一級建築士、建築エコノミスト。著書に『非常識な建築業界――「どや建築」という病』（光文社新書）などがある。

西岡研介（にしおか・けんすけ）**第3章**
１９６７年生まれ。ノンフィクションライター。著書に『マングローブ――テロリストに乗っ取られたＪＲ東日本の真実』（講談社）『襲撃　中田カウスの１０００日戦争』（朝日新聞出版）などがある。

吉弘憲介（よしひろ・けんすけ）**第4章**
１９８０年生まれ。財政・経済政策研究者、桃山学院大学教授。著書に『検証　大阪維新の会――「財政ポピュリズム」の正体』（ちくま新書）がある。

松本創（まつもと・はじむ）**第5章**
１９７０年生まれ。ノンフィクションライター。著書に『軌道――福知山線脱線事故　ＪＲ西日本を変えた闘い』（東洋経済新報社、のちに新潮文庫）『誰が「橋下徹」をつくったか――大阪都構想とメディアの迷走』（１４０Ｂ）などがある。

ちくま新書
1808

大阪《おおさか》・関西万博《かんさいばんぱく》「失敗《しっぱい》」の本質《ほんしつ》

二〇二四年八月一〇日　第一刷発行

編著者　松本創（まつもと・はじむ）
発行者　増田健史
発行所　株式会社筑摩書房
東京都台東区蔵前二―五―三　郵便番号一一一―八七五五
電話番号〇三―五六八七―二六〇一（代表）
装幀者　間村俊一
印刷・製本　株式会社精興社

ISBN978-4-480-07641-0 C0236

ちくま新書

606
持続可能な福祉社会
――「もうひとつの日本」の構想
広井良典
誰もが共通のスタートラインに立つにはどんな制度が必要か。個人の生活保障や分配の公正が実現され環境制約とも両立する、持続可能な福祉社会を具体的に構想する。

659
現代の貧困
――ワーキングプア／ホームレス／生活保護
岩田正美
貧困は人々の人格も、家族も、希望も、やすやすと打ち砕く。この国で今、そうした貧困に苦しむのは「不利な人々」ばかりだ。なぜ？　処方箋は？　をトータルに描く。

772
学歴分断社会
吉川徹
格差問題を生む主たる原因は学歴にある。そして今、日本社会は大卒か非大卒かに分断されてきた。そのメカニズムを解明し、問題点を指摘し、今後を展望する。

817
教育の職業的意義
――若者、学校、社会をつなぐ
本田由紀
このままでは、教育も仕事も、若者たちにとって壮大な詐欺でしかない。教育と社会との壊れた連環を修復し、日本社会の再編を考える。

880
就活エリートの迷走
豊田義博
超優良企業の内定をゲットした「就活エリート」。彼らが入社後に、ことごとく戦力外の烙印を押されている……。採用現場の表と裏を分析する驚愕のレポート。

939
タブーの正体！
――マスコミが「あのこと」に触れない理由
川端幹人
電力会社から人気タレント、皇室タブーまで、マスコミ各社が過剰な自己規制に走ってしまうのはなぜか？『噂の眞相』元副編集長がそのメカニズムに鋭く迫る！

941
限界集落の真実
――過疎の村は消えるか？
山下祐介
「限界集落はどこも消滅寸前」は嘘である。危機を煽り立てるだけの報道や、カネによる解決に終始する政府の過疎対策の誤りを正し、真の地域再生とは何かを考える。